각자의 방식

각자의 방식

문부일
소설집

청색종이

각자의 방식

문부일 소설집

먼저, 그 방

인터뷰를 하기 전에 사진 촬영을 했다.

정신, 심리 분석 관련 원서가 가득한 책장 앞에 섰다. 연구소 문을 열 때, 헌책방에서 헐값에 사 온 책들이다. 프로이트의 책을 꺼내 손으로 안경을 고쳐 쓰면서 읽는 시늉을 했다. 영어 원서라서 한 문장도 이해할 수 없었다.

"외모가 출중해서 이십대 후반처럼 보여요. 방송 출연 이후 훈남 원장님이라고 소문나서 내담자가 늘었다면서요?"

남자 기자가 여러 각도에서 나를 찍었다.

지난달, 이 지역 방송에 출연해 힐링을 주제로 짧게 강연을 했는데, 반응이 좋았다. 그 덕분에 오늘은 지역 일간

지와 인터뷰를 한다.

"삼십대 중반, 아저씨의 얼굴이 다 비슷하죠. 주름, 잡티 모두 삶의 흔적이니까 수정하지 마세요. 젊어 보이고 싶다고 욕망하면 이미 늙었다는 증거예요."

촬영을 끝내고 인터뷰를 시작했다.

여자 기자는 질문을 하면서 나를 똑바로 바라보았다. 강한 눈빛과 말투에 자신감이 묻어났다. 그녀는 내 이야기를 들으며 볼펜 모양의 녹음기를 만지작거렸다. 가끔 코와 눈 그리고 머리카락에도 손이 닿았다. 탁자 아래쪽을 보니 발도 계속해서 움직였다. 정서불안이라고 말해 줘도 자기 확신이 강해서 받아들이기 힘들겠지만, 인정하면 적극적으로 해결할 성격이다.

"두드림 마음 연구소가 상담을 잘한다고 소문이 났는데, 원장님만의 특별한 방법은 무엇이죠?"

"내담자 입장을 먼저 생각합니다. 이름도 묻지 않고, 얼굴을 드러내기 부담스러워하면 선글라스를 끼고 오라고 합니다. 그리고 다양한 방식으로 상담을 진행합니다."

상담실 구석에 있는 작은 방들을 소개했다.

샤우팅 방에서는 마음껏 소리를 지르며 뭐든 집어던져도 된다.

꿀맛방도 인기가 있다. 마음이 어수선해 온종일 굶은 사람에게는 먼저 꿀맛방에서 식사를 권한다. 식욕을 자극하거나 부모님이 차려준 집밥을 떠올리게 하는 영상을 보며 배를 채우면 나를 더 신뢰해 깊은 이야기를 털어놓는다.

촛불 하나만 켜놓은 어두컴컴한 분위기에서 힐링 멘트를 들으며 숙면을 취하거나 자신의 내면과 마주하는 나탐방도 많이 찾는다. 나를 염탐한다는 뜻으로, 외면했던 자신의 마음을 위로하며 펑펑 울기도 하는데, 그렇게 쌓였던 서러움을 정화한다.

"나탐방은 우리 연구소의 자랑입니다. 먼저 나를 돌아보며 내 안에 어떤 욕망, 슬픔, 무의식이 있는지 알아야 합니다. 그것을 모르면 평생 무의식의 노예로 살아요."

"원장님의 아이디어가 정말 남다르시네요. 부모님은

어떤 일을 하셨죠?"

"어머니는 일찍 돌아가셨고, 아버지는 선생님이었어요. 특히 상담을 잘하셨는데, 그 영향을 저도 받았나 봅니다. 사람들은 아버지를 인생의 스승이라며 따르기도 했죠."

기자의 눈을 피해 창밖으로 고개를 돌렸다.

가로수 잎이 다 떨어져서 가지는 앙상했고, 미세먼지가 심해 어제보다 더 을씨년스러운 날이었다. 어느덧 겨울이 오고 있었다. 우울증 환자가 증가하는 계절이라 인터뷰 기사를 읽고 많은 사람이 찾아올 것이다. 요즘 정신질환 환자가 증가하고 있지만, 정신과를 찾는 사람은 많지 않다. 진료를 받으면 건강보험 기록에 남아 훗날 취업을 하거나 보험 가입이 어렵다는 이유 때문이다. 대신 많은 비용을 내면서 심리 상담실을 찾는데, 내담자들의 고민은 회사 상사의 갑질, 부모로부터의 폭력, 학교에서의 왕따, 성범죄 피해, 외모 콤플렉스 등 몇 가지 주제를 벗어나지 않아서 자존감을 키우라고 조언하면 된다.

"스무 살 때 일본으로 유학을 가셨다면, 청소년 시절에도 공부를 잘하셨나 봐요."

"머리가 아둔해서 공부보다는 독서, 글쓰기를 즐겼고 친구, 선생님들과도 사이가 좋았어요."

목소리가 떨리는 것 같아 얼른 물을 마셨다.

한 시간 남짓 진행된 인터뷰가 끝나 연구소 밖으로 나가 기자들을 배웅했다.

옆 사무실에 보험 관리회사가 이사를 왔는지 복도에 보험 광고가 많이 붙어 있었다.

남자 기자가 며칠 전 가입한 암 보험에 대해 이야기를 꺼냈다.

보험회사와 설계사가 수수료를 많이 가져가는 상품으로 중도해지하면 납입금을 전혀 돌려받지 못한다. 기자는 그 사실을 모르고 있었다. 설계사가 설명을 제대로 하지 않은 불완전 판매였다. 보름 이내에 가입을 취소하면 환불받을 수 있다고 말하려다 입을 다물었다.

기자들이 주차장으로 내려가고, 나는 연구소로 돌아

왔다.

문 앞에 붙어 있는 안내문에 적힌 내 프로필과 개명한 이름이 아직도 낯설었다.

연구소로 들어가려고 문 손잡이를 잡았는데 갑자기 정전기가 일어나 손끝을 칼로 찌른 듯 따가웠다. 손을 옷소매로 감싸고 조심스럽게 손잡이를 돌렸다. 마침 뒤에서 누군가 내 이름을 불렀다. 택배 배달원이었다. 해외사이트에서 직접 구매한 구두와 한정판 오리털 점퍼가 왔다. 오늘 저녁 모임에 입고 가려고 돈을 더 주고 긴급 배송을 요청했다.

오후 상담을 시작했다.

이십대 후반으로 보이는 남자가 들어왔다. 그는 눈동자를 계속 움직였고, 피부가 너무 푸석푸석했다. 며칠 동안 잠을 이루지 못했을 것이다. 무슨 차를 좋아하는지 물었다. 그는 아무거나 달라고 힘없이 말했다.

물이 끓는 동안 종이에 닉네임으로 사용하고 싶은, 좋

아하는 낱말을 쓰라고 했다.

남자는 볼펜을 들고 한참 동안 망설였다. 자신이 무엇을 좋아하는지 몰랐다. 평소에 마음을 들여다본 적이 없을 것이다. 청년은 내 눈을 피하며 볼펜을 만지작거렸고 손가락에 검은색 잉크가 묻었다.

"내일 아침까지도 닉네임을 못 정할 것 같아요. 그냥 볼펜으로 하죠. 회사에서 갈등이 많고, 대인 관계도 어렵죠?"

그에게 휴지를 건넸다. 볼펜은 용한 점쟁이를 만난 표정이었다.

"사람들이 저를 싫어하는 것 같으면 견딜 수가 없어요. 다른 사람들의 부탁도 거절하지 못해서 야근을 매일 해요. 주말에도 회사에 나가느라 너무 피곤한데, 인정은 못 받아요."

볼펜이 한숨을 내쉬면서 녹차를 마셨다. 더 많은 이야기를 끄집어내려면 강한 자극이 필요해 콜라에 얼음을 가득 넣어서 건넸다. 그는 단숨에 콜라 한 잔을 비우더니 고등학교만 졸업해서 학력 콤플렉스도 심하다고 털어놓았다.

"조퇴를 할 때도 수백 가지 고민을 했죠? 회사에 급한 일이 생겨서 내가 필요하면 어쩌나, 일찍 갔다고 사람들이 욕하지 않을까? 그래서 지금도 전화기를 손에서 놓지 못하고 있죠?"

그제야 볼펜이 전화기를 탁자에 내려놓았다.

싫어하는 연예인이 있는지 물었다. 그는 어느 가수가 왜 싫은지 구체적으로 말하더니 악성 댓글을 단 적도 있다고 말했다.

"가수가 그 악플을 읽으면 어떤 기분일까요? 본인도 싫어하는 사람이 있는데, 왜 모든 사람은 본인을 좋아해야 하죠?"

그는 범불안 장애가 심했고 착한 아이 콤플렉스도 있었다.

"스트레스가 너무 심해서 쓰러질 때가 있어요. 스트레스를 푸는 방법을 알려주세요."

상담을 받기 전에 자신과 대화를 해야 할 것 같아 그를 나탐방으로 안내했다.

방으로 들어간 볼펜이 긴 의자에 누웠다. 얇은 이불을 덮어주고 스피커 버튼을 눌렀다.

풍경소리, 새소리가 들렸다. 이어서 '몸의 긴장을 푸세요, 몸이 나른해집니다, 아무 걱정도 하지 마세요.' 마음을 편안하게 하는 멘트가 흘러나왔다. 다음 단계에서는 그동안 마음 깊이 숨겨놓은 분노와 마주하게 된다.

문을 닫고 밖으로 나왔다.

안을 들여다보니 볼펜이 휴지로 눈가를 훔쳤다. 그 방에서 마음껏 울고 싶어서 상담을 신청하는 내담자도 많았다.

그를 보니 고등학생 때가 떠올랐다. 나도 2학년 때 자퇴를 했다. 공부를 못했고, 학교에 적응하지 못했다. 아버지가 간곡하게 부탁해서 고졸 검정고시에 합격하고서 군대에 다녀왔다.

그 이후 집에서 빈둥거리다가 우연하게 정수기 판매

영업을 했는데, 사람들의 고민을 잘 들어주고 적절하게 위로를 해준 덕분에 실적이 좋았다. 나를 신뢰하는 고객이 늘어나 판매왕도 했다. 선배가 돈을 많이 벌 수 있다며 보험 설계사를 권유해 전직했다. 몇 년 뒤 지역에서 보험 판매 10위에 올라 돈도 꽤 모았다. 그러던 중 그 사건이 터져서 보험 영업을 접고 심리상담사 자격증을 취득했다.

지난 시간을 생각하니 목이 말라 얼음을 넣은 콜라를 마셨다. 언젠가부터 콜라를 물처럼 마셨다. 하루에 1.5리터를 비울 때도 있었다.

삼십 분쯤 지났을까. 볼펜이 소리를 지르며 나남망 밖으로 달려나왔다.

"나를 왕따시키고 때리고 성추행했던 새끼들을 모두 죽이고 싶어요. 씨발, 그 새끼들 때문에 인생이 망가졌어! 그때 다들 나한테 참으라고, 용서하라고 강요했어! 왜 난 늘 참아야 해?"

그가 소리를 지르며 연구소 밖으로 뛰어갔다. 칼을 건

네면 당장이라도 가해자를 죽이거나 스스로 심장을 찌를 것 같았다. 큰길까지 쫓아갔지만 볼펜은 이미 사라진 뒤였다.

상담 전문가에게 도움을 요청하려고 휴대전화 주소록을 살펴보았지만 아버지밖에 없었다. 통화버튼을 누를 수 없었다.

아버지는 잔재주로 돈 벌 궁리를 하지 말고 내 마음을 먼저 들여다보라는 입바른 소리만 했다. 사람들은 아버지를 점쟁이라고 불렀다. 아버지는 그들이 찾아와 울면서 하소연을 하면 묵묵히 들어주고, 해결 방법도 알려줬다. 그들은 비밀을 털어놓으려고 아버지를 찾는 것 같았다. 어쩌면 상담자와 점쟁이는 비슷한 역할을 하는지도 모르겠다.

아버지는 굿을 하지 않았다. 점을 보러 온 사람들한테도 돈을 많이 받지 않아 집안 형편이 늘 쪼들렸고 심지어 가난한 사람한테는 밥값을 줄 때도 있었다. 그럴수록 사람이 몰렸다. 멀리 사는 사람들은 이메일로 고민을 털어놓으면 아버지는 정성스럽게 답신을 보냈다. 그렇게 아버지 곁에서 나도 자연스럽게 상담하는 법을 익혔던 것이다.

연구소로 돌아와 경찰에 연락해서 볼펜에 대해서 말하려다가 전화기를 내려놓았다.

어깨가 너무 결리더니 통증이 머리까지 이어졌다. 가끔 나타나는 증상이었다.

나탐방 앞에 붙어 있는 안내문을 뜯어서 쓰레기통에 버렸다.

잠시 뒤 대학생으로 보이는 내담자가 들어왔다.

대학생이 고민을 계속 주절거렸지만 볼펜이 떠올라 집중할 수 없었다. 그 또한 자존감 문제였다. 볼펜에게 전화를 해도 전화기가 꺼졌다는 기계음만 들려왔다.

상담이 끝났다. 대학생에게 오늘은 돈을 받지 않을 테니 다음에 또 오라고 말하고 돌려보냈다.

동영상을 보며 스트레칭을 했지만 어깨결림은 사라지지 않고 오히려 허리까지 아팠다.

그 사이 퇴근 시간이 되었다.

"원장님, 홈페이지에 어떤 고객이 항의하는 글을 올렸어요. 삭제할까요?"

실장이 내 눈치를 살폈다.

그녀에게 먼저 가라고 말하고 스마트폰으로 연구소 홈페이지에 접속했다. 게시판에는 심리학자가 아니라 돌팔이 같다는 막말이 가득했다. 가끔 올라오는 글이었다. 아이피 주소를 추적해 작성자를 명예훼손으로 경찰에 고발하고 싶지만 그럴 수 없었다. 홈페이지 관리 회사에 연락해서 고객 상담 메뉴를 없애라고 말했다.

지하주차장에 내려갔다. 지나가던 사람들이 파란색 폭스바겐 자동차를 보며 감탄했다.

헛기침을 하며 차의 문을 열려고 손잡이를 잡았다. 순간, 정전기가 일어나 짧게 비명을 질렀다. 손끝이 너무 따가워 재킷 소매로 손을 감싸서 문을 열었다.

주차장을 빠져나가며 내비게이션에 모임 장소를 입력

했다.

연구소를 찾던 내담자가 소개해서 지난해부터 알게 된 모임이다. 명문대 졸업생이 많고, 한의사, 펀드매니저, 약사 등 대부분 중산층 이상이었다. 고향에서 한참 떨어진 이곳에 연구소를 차린 뒤부터 과거의 나를 아는 사람들을 이제 만나지 않는다.

라디오에서 공무원 시험 온라인 수업 사이트 광고가 흘러나왔다.

보험 판매를 시작하고 얼마 지나지 않아, 십 년 동안 공무원 시험에 탈락한 수험생을 만난 적이 있었다. 주변에서 다들 공부를 때려치우라고 말할 때, 나는 올해 꼭 합격한다고 확신해주었다. 예의상 한 말이었는데 그는 그 말을 믿고 열심히 공부해 합격했다. 첫 월급을 받아서 보험에 가입하더니, 동료들도 소개해줬다. 그러면서 나한테 상담에 재능이 있다고 추켜세웠다.

사람들은 보험 설계사를 돈에 눈이 멀어 번지르르한 거짓말을 일삼는다고 무시하는 경우가 많았다. 심지어

고등학교 중퇴라고 하면 보험 약관을 제대로 이해하는
지 의심하기도 했다. 아버지가 무슨 일을 하는지까지 말
하면 나를 멀리해서 소개팅에 나가도 거절당하기 일쑤였
다. 그럴수록 나는 비싼 옷을 입고, 좋은 차를 타고, 명품
시계를 샀다. 급기야 성형 수술과 모발 이식도 했다.

그러던 중 사건이 터졌다.

친한 고객이 암에 걸려 수술을 받아서, 3억 가까운 보
험료를 보험사에 청구했지만 여러 가지 이유로 한 푼도
받지 못했다. 보험사의 횡포였다. 나한테 거세게 항의했
지만 아무것도 해줄 수 없었다. 오히려 고객은 보험사로
부터 고소를 당해서 법정 분쟁을 하다가 지쳐서 스스로
목숨을 끊었다. 충격을 받은 나는 일을 접었다. 그 이후
오랫동안 불면증에 시달리다 심리 상담을 받았는데 심리
치료의 매력에 빠져서 일 년 만에 자격증을 따고 연구소
를 차렸다. 일주일이면 취득 가능한 자격증도 많았지만
조금 더 공부를 한 셈이다.

호텔 앞 사거리에서 신호가 바뀌기를 기다리다가 볼펜

에게 전화했지만 여전히 전원이 꺼져 있다는 기계음이 들렸다.

호텔 1층에 있는 와인바로 들어갔다. 짧은 치마를 입은 여자가 피아노를 치면서 팝송을 불렀고 조명과 크리스마스트리 장식품 때문인지 연말 분위기가 풍겼다.

"인터뷰 잘했어? 완전 잘 나가네. 차도 폭스바겐으로 바꿨다며?"

회장은 외국 유학파라 폭스바겐 발음이 예사롭지 않았다. 아버지 소유의 건물 세 채를 관리하며 여자들이랑 골프나 치러 다니는 금수저 한량이었다.

"아버지가 타던 차야. 돈, 물건 이런 것에 대한 집착을 버려야 행복해져!"

"유명 원장님 티 내지 마! 근데 진짜 돈 많이 버나 봐! 신발도 한정판이잖아?"

펀드매니저가 휴대전화로 내가 신고 있는 신발을 찍었다.

"출장 다녀온 친구가 사왔는데, 만 원짜리 신발이랑 큰 차이 없어."

나는 와인 도미누스를 마시면서 출입구 쪽을 두리번거렸다.

와인의 쌉싸름한 맛이 나와 맞지 않았다. 날씨가 추울수록 소주가 생각났다.

마침 주혜가 걸어왔다. 머리를 잘라서 얼굴이 더 밝아 보였고 자신감이 넘쳤다.

"김 원장, 피부 톤이 밝아졌어. 그 비타민이 효과가 좋다니까."

주혜가 내 옆에 앉으며 가벼운 농담을 했다.

그녀는 대학병원에서 약사로 일한다. 아직 남자친구는 없고 부모님 모두 의사였다. 가장 큰 콤플렉스는 의대 진학에 실패한 것이다.

아버지한테 선물할 영양제를 산다는 핑계로 그녀가 일하는 약국에 여러 번 찾아가 상담도 하고, 식사도 했다. 그럴 때마다 주혜는 친절하게 대해줬다. 연말쯤 진지하게 고백하려고 한다.

와인을 여러 잔 마신 뒤라 분위기가 무르익었다.

스무 살 때 추억에 빠진 회장이 유학 시절 이야기를 꺼냈다. 나도 일본 이야기를 하며 맞장구쳤다.

"김 원장님, 일본 어디에서 대학 나왔어요? 와이프가 도쿄에서 박사 공부 중이에요."

한의사의 뿔테 안경테를 뚝 부러트리고 싶었다. 안경테 때문에 더 어리숙해 보이는 놈이었다.

"일본에서 가장 후진대학 나와서 이름을 말해도 모를 거야. 오늘 신문 인터뷰 기념으로 내가 계산할 테니 많이 마셔!"

지갑에서 카드를 꺼냈다.

"잘 나가는 심리센터 원장님은 역시 다르네."

회장이 웨이터를 불러 스페셜 메뉴를 주문했다.

우리나라에서 대학을 나왔다고 하면 금방 들통이 날 것 같아서 일본에서 대학을 졸업했다고 거짓말을 했다. 검색해보니 그 대학은 일본에서도 유명하지 않아 한국

유학생이 거의 없었다. 고등학교 중퇴 후 일본 애니메이션에 빠져 지내면서 자연스럽게 일본어를 배웠고, 보험왕 수상 포상으로 여행을 자주 다녀와 일본에 대해 아는 것도 많았다.

주혜가 주변 눈치를 보다가 핸드백을 열었다.

"할 말이 있어요. 헤어진 남자친구랑 다시 만나서 내년 봄에 결혼해요!"

그녀가 청첩장을 돌렸다.

나는 아무 와인이나 잔에 가득 따라 단숨에 마셨더니 취기가 돌아 잔을 떨어트릴 뻔했다.

그녀의 남자친구는 이제 막 임용된 사학과 교수였고, 시아버지 될 사람은 지상파 방송국 국장이었다.

"김 원장, 와인 몇 잔에 취했네. 나이가 들었나 봐."

회장이 웃었다.

"나이? 다들 나를 이십대로 봐!"

지갑을 챙겨 계산대로 가다가 몸이 휘청거리는 바람에 손으로 옆 테이블에 놓여 있는 술잔을 건드렸다. 술잔이 바닥에 부딪히면서 요란하게 깨졌다. 나는 쌍욕을 내뱉으며 계산대로 걸어갔다.

결제를 끝냈더니 회장이 불러준 대리기사가 왔고, 차를 타고 오피스텔로 향했다.

"손님! 도착했어요!"

대리기사가 나를 흔들었다.

얼마나 잤을까. 주차장에 차가 서 있었다.

대리기사가 집까지 부축해줬다. 팁을 건네고 문을 열고 들어갔다.

창문으로 빛이 조금 들어왔지만 오늘도 어두컴컴했다. 온기는 찾을 수 없었다.

속이 울렁거려 냉장고를 열었다. 콜라병은 비어 있었다. 생수도 없어서 부엌 개수대에서 수돗물을 틀어서 마셨다.

손등으로 입가를 훔치며 재킷을 벗는데 주머니에 청첩장이 들어 있었다.

청첩장을 찢어서 화장실 변기에 버리고 바닥에 주저앉

았다. 지난해에 헤어졌던 여자 친구가 떠올랐다. 내가 호감을 느낀 여자들은 명문대 출신이고, 사회적으로 인정받는 일을 했다. 그런 까닭에 오래 만나기 힘들었다.

옷을 입은 채 침대에 누워 자려고 애쓸수록 더 잠이 오지 않고 가슴이 심하게 두근거렸다. 어깨에는 돌덩이가 매달린 것처럼 통증이 여전했다.

출근하자마자 신문에 실린 인터뷰 기사를 읽었다. 이름, 얼굴 모두 아직도 어색했다. 일본에서 심리학으로 학사, 석사, 박사 학위를 취득했다는 사람은 도대체 누구일까.

기상 예보를 보니 찬바람 덕분에 미세먼지가 없다고 했지만 밖은 여전히 잿빛이었다.

휴대전화가 울렸다. 아버지였다. 거절 버튼을 누르려다가 통화를 했다. 한 달 동안 연락을 한 적이 없었다.

"당장 연구소를 접고 마음공부부터 해라. 언제까지 외고를 나오고 유학을 다녀왔다고 거짓말 할 셈이냐! 어설

픈 말솜씨로 사람들 속이지 마라. 너도 다치고 내담자도 다쳐!"

아버지도 벌써 인터뷰 기사를 읽었던 것이다.

"아버지가 무슨 권리로 그렇게 말하세요? 다른 사람의 마음을 헤아리기 전에 가족을 챙겼다면 어머니가 바람나서 도망쳤겠어요? 가난도 지긋지긋했어요!"

전화를 끊었지만 아버지의 말이 귓가를 맴돌았다.

고함을 질렀더니 편두통이 심해졌고, 헛구역질이 나서 화장실로 달려가다가 복도 벽에 잠깐 기대었다. 지나가던 어떤 여자가 다가와서 괜찮은지 물었다. 대꾸도 하지 않고 화장실에 가서 손바닥으로 가슴을 두드렸다. 구역질이 조금 가라앉았다.

입을 물로 헹구고 거울을 바라보았다. 성형을 해도 얼굴에서 아버지의 모습이 보였다. 얼굴을 거칠게 씻고 연구실로 향했다.

대기실에는 정장을 입고, 명품 선글라스를 낀 여성이 있었다. 자신을 노출하면 안 되는 전문직, 혹은 영업직에

종사할 것이다. 아니면 쉽게 말하지 못하는 큰 고민이 있을 수도 있다.

"몸은 괜찮으세요? 스트레스가 심한 편이세요?"

나를 부축해준 여자였다. 고맙다고 작게 중얼거렸다.

"새벽에 올라온 신문 기사를 보고 찾아왔어요. 물론 아는 사람한테 상담을 잘하신다는 이야기를 여러 번 들었어요."

새벽에 인터넷을 검색했다면 불면증이 심하다는 뜻이었다.

그녀는 아나운서처럼 발음이 정확해 말을 많이 하는 일을 할 것이다. 말투를 들어보니 이 지역 사람은 아니었다. 자신이 사는 동네에서 상담받기 두려워 먼 곳까지 오기도 한다.

마음을 가라앉히고 상담실에 들어가 그녀에게 어떤 차를 마시겠냐고 했다.

여자는 커피믹스를 달라고 했다. 물이 끓는 동안 닉네임을 정하라고 말하며 나는 콜라를 마셨다.

"저는 커피믹스로 할게요. 하루에 다섯 잔 이상 마시거든요. 원장님도 원장이라는 권위적인 단어보다 닉네임으로 부르면 어떨까요?"

커피믹스의 눈빛이 너무 강렬했다. 웬만한 심리상담소를 다 돌아본 상담 쇼핑을 하는 환자였다. 한참을 망설이다가 콜라로 정했다. 닉네임 정하기가 생각보다 쉽지 않았다.

"아침에 일어나지 않았으면 좋겠어요. 눈부신 햇살이 너무 싫어요. 일도 하기 싫어요."

커피믹스가 창밖을 보며 오른손으로 머리를 넘겼다. 손목에 값비싼 롤렉스 시계를 차고 있었다. 시내에 생긴 명품 백화점에 파는 제품으로, 사고 싶었지만 너무 비싸서 내려놓았다. 우울증 증상 중 하나인 쇼핑 중독 증세가 있을 것 같았다. 난이도가 높은 상담이라 바로 시작하면 수박 겉핥기식으로 끝날 것이다.

"나탐방이 좋다고 들었어요. 숙면을 취하고 싶어요."

"그 방과 심리 관계를 좀 더 연구하려고 당분간 사용하지 않아요. 대신 꿀맛방을 추천합니다. 어릴 때부터 아버지가 꼭 세끼를 챙겨 먹어야 한다고 하셨어요."

그녀에게 어떤 김밥을 좋아하는지 묻고 배달 어플에 접속해 주문을 했다. 된장 국물도 넉넉하게 챙겨오라고 추가 사항에 적었다.

"좋은 아버지를 두셨네요. 저희 아버지는 시험 성적이 안 좋으면, 밥값도 아깝다고 야단을 쳐서 굶을 때도 많았어요."

커피믹스의 눈가가 붉게 물들었다. 아침에 아버지가 퍼부은 말이 생각나 손에 땀이 흘렀다.

"콜라 님, 손에서 피가 나요!"

나도 모르게 손톱 옆 굳은살을 뜯고 있었다. 휴지로 손가락을 닦았지만 검붉은 피는 멈추지 않았다. 잠시 쉬기로 하고 화장실에 다녀왔다.

휴식 시간이 끝날 때 김밥 배달이 왔다. 실장이 김밥을 접시에 담아서 꿀맛방에 가져갔다. 나는 어머니가 이른 새벽에 밥을 짓는 영상을 틀었다. 밥솥에서 김이 나오는 소리가 생생해 구수한 밥 냄새가 나는 것 같았다. 돌이켜 보면 어머니가 해준 밥을 먹은 기억은 없었다. 새벽부터 부엌에서 아버지가 분주하게 움직였다.

커피믹스가 영상을 보며 김밥을 입에 넣었다. 방문을 닫고 나왔다.

대기실을 서성거리는 나에게 실장이 김밥을 권했지만 먹지 않았다.

커피믹스가 김밥을 다 먹었을 때, 꿀맛방으로 들어가 환기 버튼을 눌렀다.

"상담을 마칠게요. 상담받는 것보다 한끼 배불리 먹는 게 더 중요해요."

"차로 두 시간 이상 걸리는 곳에서 왔는데 짧게라도 상담을 해야죠."

"돈을 안 받을게요. 아버지가 식사 대접은 큰 복을 짓는 거래요."

"저도 그런 부모님 밑에서 자랐다면 제 인생이 많이 달라졌을 겁니다."

커피믹스가 남은 국물을 마시고 나갔다.

예약한 상담자가 늦는다고 연락이 와서 컴퓨터 앞에 앉아 지역 신문에 기고할 글을 썼다. 마감이 내일이었다. 내가 대충 끄적거리면 실장이 수정하는데 맞춤법이 틀리고 비문이라고 눈총을 줬다. 그러면 일본에서 공부한 탓이라고 둘러댔다.

실장이 세무서에 제출할 서류를 가지고 들어왔다.

"어떤 사람이 전화로 원장님 학력을 꼬치꼬치 묻더라고요. 한국연구재단에 박사 논문이 등재되어 있지 않다고 하던데요."

"박사 논문? 이름을 개명해서 그럴 거야. 아니, 수료라서 그래! 아니, 나가 봐!"

냉장고에서 콜라를 꺼내 마셨다. 처음부터 프로필에 석사 수료라고만 적었다면 어땠을까. 그런데 누가 뒷조사를 하는 걸까? 한의사 그놈의 꺼벙한 얼굴이 아른거렸다.

가슴이 불쾌하게 두근거리면서 숨이 탁 막혔다. 약을 먹어도 효과가 금세 나타나지는 않았다. 마음이 차분해지기를 기다릴 뿐이었다.

연구소 홈페이지에 접속해서 학력을 수정하는데, 대기실에서 고함이 들려와서 나갔다.

어제 왔던 볼펜이 나를 노려보고 있었다.

"당신 때문에 잠을 잘 수 없어. 온종일 화가 치밀어 올라서 죽을 지경이야!"

"볼펜 님, 마음을 가라앉히시고 천천히……."

"볼펜이고 뭐고 다 필요 없어! 미쳐서 뛰어내리는 꼴 보고 싶어?"

그가 머리를 벽에 찧으며 비명을 질러댔다. 실장이 다급하게 경찰에 연락을 했다.

흥분한 볼펜을 다독거리려고 했지만 그럴수록 그는 더 목소리를 높였고, 대기실에 있던 사람들이 황급히 나갔다.

잠시 뒤, 경찰 여러 명이 들어와서 상황을 파악했다. 볼펜이 씩씩거리더니 의자에 앉았다.

나는 볼펜에게 가족 연락처를 물었다. 그가 절대 말하

지 않겠다며 버티다가 경찰이 다시 문득 입을 열었다. 나는 그의 어머니와 삼십 분 동안 통화를 했다. 아들을 잘 챙기겠다는 답을 들었다. 볼펜은 착한 아이 콤플렉스가 심해 속마음을 털어놓지 못하는 성격인데, 그동안 참았던 분노가 어제 나탐방에서 터지고 말았던 것이다. 내공이 있는 심리치료사만이 도움을 줄 수 있었다.

볼펜의 동생이 연구소로 와서 그를 데리고 나갔다. 나는 나탐방 문을 발로 세게 걷어찼다.

누구에게 도움을 요청할까, 고민하는데 휴대전화가 울렸다. 아버지였다.

〈아침에 말이 좀 심했다. 날씨가 차다! 반찬 챙겨서 집으로 갈게.〉

아버지가 자주 틀리는 맞춤법이 눈에 들어왔다.

메시지에 볼펜 같은 내담자를 어떻게 해야 하는지 조언을 구하다가 삭제했다.

〈다른 지역에 가서 집에 없으니까 왠만하면 오지 마세요. 반찬은 사다가 먹으면 돼요.〉

메시지를 보내고 의자에 앉아 힐링 음악을 들었지만 뛰는 가슴이 가라앉지 않았다.

볼펜이 돌아간 뒤 일이 손에 잡히지 않아 일찍 퇴근했다.

신문사에 원고도 보내지 못했다. 마감 며칠 전에 꼭 보냈는데 처음으로 펑크를 냈다.

차에 올라 어디로 갈지 고민했다. 휴대전화를 꺼냈지만 대뜸 연락해서 저녁 식사를 하자고 말할 사람이 없었다.

차를 타고 백화점으로 갔다. 할인카드 사용 기한이 오늘까지였다. 쇼핑을 하다 보면 마음이 차분해지고, 활력이 생겼다. 일 년에 삼천만 원 넘게 결제했더니 vip 등급으로 올랐다.

차를 백화점 지하주차장에 세웠다. 외제 차가 많아 폭스바겐은 눈에 들어오지는 않았다.

가슴에 빨간 꽃을 단, 정장을 입은 남자들이 입구에서 문을 열어주었다. 어깨를 쫙 펴고, 고개를 빳빳이 들면서 안으로 들어갔다. 눈부신 환한 불빛에 걸음이 빨라졌다.

3층 남성복 매장에서 53만 원짜리 체크무늬 셔츠를 입어보았다. 점원들이 피부가 하얗고, 이목구비가 또렷해 잘 어울린다고 호들갑을 떨었다. 바로 카드를 건넸다. 점원의 말이 진짜인지 물어볼 사람이 없었다. 혼자 쇼핑하는 사람은 나밖에 없었다.

"혹시 지인이랑 오셨어요? 어떤 남자분이 이쪽을 한참 보다가 가시네요."

다른 직원이 고개를 갸웃거렸다. 대수롭지 않게 뒤를 돌아보았지만 아무도 없었다.

"셔츠에는 단화 같은 운동화가 잘 어울리고, 그래야 더 젊어 보여요."

"나이가 들어 보인다는 뜻인가요?"

종이가방을 낚아채듯 잡고 매장을 나왔다.

모자, 재킷, 머플러를 사고 지하에 새로 생긴 카페로 향했다.

맞은편에서 선글라스를 낀 여자가 걸어왔다. 옷차림, 선글라스, 걸음걸이 모두 낯익었다. 여자도 나를 본 듯 걸음을 멈추고 급히 방향을 틀었다. 분명 커피믹스였다. 그녀도 손에 종이가방을 많이 들고 있었다. 그녀의 뒷모습을 지켜보다가 매장으로 돌아가 구입한 물건을 모두 환불했다.

현관문을 열고 집으로 들어갔다. 구수한 밥 냄새가 났고, 가스레인지 위에서는 된장찌개가 끓었다. 꿀맛방에서 보는 영상 속 장면 같았다. 보일러 돌아가는 소리도 경쾌했다.

"지방에 안 갔냐? 먹을거리가 하나도 없을 것 같아서 장 봐왔다."

아버지가 분주하게 식사를 준비했다.

식탁에는 내가 좋아하는 닭볶음탕, 여러 가지 나물 등 밑반찬이 많았다.

베란다 건조대에는 깨끗하게 빤 셔츠들이 널어져 있었고, 전자레인지 위에 앉은 먼지도 말끔하게 청소를 해놓았다.

샤워를 하고 나왔다. 아버지가 구석에 쌓여 있는 택배 상자를 보며 혀를 찼다.

"아직도 돈 쓰는 버릇을 못 고쳤냐?"

나는 냉장고에서 콜라를 꺼내 마시면서 리모콘으로 텔레비전을 켰다.

"콜라를 왜 그렇게 많이 마시냐? 콜라를 많이 마시면 마음이 답답하다는 뜻이야."

아버지가 재활용 상자를 정리했다. 텔레비전 소리를 더 키웠다.

마침 밖에서 누군가 초인종을 눌렀다. 주문한 물건이 도착한 것 같아 인터폰으로 확인도 하지 않고 문을 열었다. 볼펜이 서 있었다.

"아까부터 당신을 계속 쫓아다녔어! 이제 온 가족, 친구들이 내 상태를 알아버렸는데 모두 나를 환자 취급해. 다 나를 또라이로 본다고!"

그가 머리를 벽에 찧어대며 소리를 질렀다. 이마에서 피가 흘렀다.

아버지가 볼펜의 손을 잡았다. 그가 손을 뿌리치려고 했지만 아버지의 힘을 이길 수 없었다. 아버지가 나한테 나가라고 턱짓을 했다. 머뭇거릴 틈 없이 점퍼를 챙겨 밖으로 나갔다.

오피스텔 1층 현관에서 한참을 서성거리다가 아버지에게 전화를 했다. 받지 않아 경찰을 부를까 망설이는데 승강기 문이 열리더니 볼펜이 걸어왔다. 손에는 검은 봉지를 들고 있었다. 아버지가 반찬을 챙겨준 것 같았다.

"원장님, 죄송해요. 다시 찾아오지 않을게요. 그리고 정신과 치료를 잘 받을게요."

그가 읊머거렸다 주머니에 아버지 상담실 명함이 들어 있었다.

"나를 원장이라고 부르지 마세요"

축 늘어진 볼펜의 뒷모습을 보고 있는데 아버지가 다가왔다.

"국 식기 전에 밥 먹어라. 그리고 상담 쉽게 보지 마라. 모두 다칠 수 있어."

아버지가 내 어깨를 다독거렸다.

집으로 올라가 식탁에 앉아 허겁지겁 밥을 먹었다. 아침부터 굶었더니 금세 밥 두 공기를 비웠다. 밥에서는 윤기가 흘렀고 된장찌개의 간은 적당했다. 화학조미료가 들어가지 않아 속이 편안했다. 몇 달 만에 먹는 집밥이었다.

추적추적 비가 내리는 아침이었다.

상담실 창문을 열었다. 미세먼지가 말끔하게 사라져 공기가 깨끗했다. 비가 오는 날에는 내담자가 늘어난다.

첫 번째 상담을 마치고 스트레칭을 했다. 오랜만에 아침밥을 든든하게 먹었더니 어깨도 어제보다 풀렸다.

콜라를 마시고 상담일지를 정리하는데 휴대전화로 문자가 왔다. 발신자는 알 수 없었다.

〈김 박사님, 일본에서 대학을 졸업했다고요? 세상에 비밀이 없을 것 같죠? 당장 방송국에 알릴 거니까 편할 때

연락주세요!〉

　창밖에서 누군가 나를 지켜보는 것 같아 창문을 닫고
커튼을 쳤다.

　갑자기 바늘로 위를 찌르는 것 같은 통증이 전해지고
호흡도 거칠어졌다. 어제보다 상태가 더 안 좋았다. 심장
이 너무 빨리 뛰다가 멈춰버릴 것 같았다.

　두 번째 상담을 할 차례였다. 집중할 수 없었지만 이미
내담자가 도착한 뒤였다.

　커피믹스였다. 오늘은 선글라스를 끼지 않았다. 삼십대
후반으로 보였다. 이목구비가 또렷하고 화장을 진하게
해서 자신감이 넘쳤다.

　"밥값을 받지 않으셔서 샌드위치를 사서 왔어요."

　어제 백화점에서 보았다는 말은 서로 하지 않았다.

　"저는 속이 안 좋아요. 먼저 드세요."

　"안 드시면 상담을 받지 않으려고요."

　그녀의 말투에는 거스를 수 없는 힘이 있어서 어쩔 수

없이 샌드위치를 한입 베어 물었다.

돌이켜보니 최근에 아버지 말고 거의 처음으로 누군가가 나를 위해 챙겨온 식사였다.

샌드위치를 먹고 나니 배가 부글부글 끓었다. 스트레스성 장염이었다. 그녀도 소리를 들을 만큼 컸다. 등으로 식은땀도 흘렀다.

실장하고 잠깐 이야기를 한다고 둘러대고 화장실에 다녀왔다.

"콜라 님은 예민한 성격이죠? 저도 그렇거든요."

그녀가 살아온 이야기를 시작했다.

"부모님, 할아버지, 할머니, 고모, 고모부 모두 의사예요. 여동생, 남동생 또한 수재인데 맏이인 저는 공부를 못했어요. 인정받고 싶어서 더 열심히 했는데 성적은 오르지 않았죠."

자존감이 낮은 탓에 인정받고 싶어서 더 열심히 공부하는 사람이 많았다.

"서울에 살았지만 성적이 안 좋아서 삼수를 해서 겨우

지방대학에 진학했고, 지금도 그곳에서 일을 해요. 집에 가면 가족들은 제가 알 수 없는 이야기를 해서 이젠 거의 안 가요."

"친구들이 다 결혼해서 만나도 할 말이 없죠? 주말에 할 일도 없을 테고! 무슨 일은 하는지 여쭤봐도 될까요?"

"작은 가게를 하는데 마음이 안 좋아서 잠깐 문을 닫고, 여러 군데를 돌면서 상담을 받다가 콜라 님을 소개받았어요. 식사를 챙겨줘서 인상적이라 또 왔어요."

커피믹스는 차분하면서도 말투가 따스했다.

"자신이 하는 일에 보람을 느끼면 우울감도 사라져요. 그런 일을 찾아보세요."

협박범이 자꾸 생각나 뻔한 말밖에 떠오르지 않았다.

더 이상 할 말이 없어서 잠깐 동안 이야기가 끊겼다.

휴대전화의 진동음이 크게 들렸다. 그 소리에 나도 모르게 짧게 소리를 질렀다.

커피믹스가 나를 지켜보고 있었다. 상담을 할 수 없어 잠깐 쉬기로 했다.

이번에는 전화가 울렸다. 발신자를 알 수 없었다. 통화 거절을 눌렀더니 또 문자가 왔다.

〈통화를 거부하면 연구소로 직접 전화를 해서 실장에게 먼저 말해야겠네요!〉

복도로 나가서 협박범과 통화를 했다.

"계속 이렇게 피하면 원장님과 인터뷰한 신문사, 방송사에 제보하려고요."

목소리가 굵은 남자였다. 한의사는 아니었다.

"돈을 원해요?"

"오천만 원이면 입을 다물지. 그 돈 주고 계속 영업하는 게 더 남는 장사잖아. 앞으로 크게 성공할 박사님인데."

그가 히죽히죽 웃었다.

복도 끝에서 발소리가 들려왔다. 뒤돌아보니 택배 배달원이었다. 주문한 선글라스가 도착했지만 관심 없었다.

옆에 있는 엘리베이터 문이 열리더니 정장을 입은 남자들이 걸어왔다. 등 뒤로 땀이 흘렀다. 취재하러 온 기자들일까? 그들은 농담을 주고받으며 보험회사로 들어갔다.

다리에 힘이 풀리고, 어깨 통증은 더 심해졌다. 목 뒤쪽으로 전기가 통하는 기분이었다.

쉬는 시간이 지나 상담실로 들어갔다. 커피믹스가 소파에 앉아 나를 기다렸다.

"샌드위치를 먹고 체했나 봐요. 죄송한데 다음에 상담하죠."

"소화가 안 되고 어깨도 아프시죠? 심리적인 문제 같은데, 신경 안정제를 일단 드세요. 그리고 콜라 님도 상담을 받으시면 어떨까요?"

커피믹스가 걱정스러운 표정을 지었다.

"당신이 무슨 자격으로 신경 안정제, 상담을 운운해? 당장 나가!"

소리를 지르며 다시 복도로 나가는데 호흡이 너무 가

빠졌다.

눈을 떠보니 응급실이었다. 소독약 냄새가 불쾌했다.

실장이 따스한 물을 내밀었다. 오후 6시였다. 그놈과 통화했던 기억만 선명했다.

"방송국에서 연락 왔어요?"

"아무 연락도 없었어요. 구급차가 올 때까지 그 여자분이 심장 마사지를 하고 응급처치를 해주셨어요."

그제야 커피믹스와 이야기를 한 것도 어렴풋하게 생각났다.

"몸은 괜찮으세요?"

나이가 지긋한 의사가 다가왔다.

"스트레스를 많이 받아서 어깨도 결리고 자주 체하고 속이 답답해요."

"조심스럽지만, 내과 치료보다 정신과 상담을 먼저 받아보세요."

의사는 응급 환자가 들어와 자리를 떠났다.

"저 의사 돌팔이 아니야? 어깨가 아프면 한의원에 가면 되잖아."

실장을 보며 짐짓 목소리를 높였다.

전화기를 만지작거리던 실장이 아이가 아파서 병원에 데려 가야 한다고 말했다. 먼저 가라고 했지만 간호사는 보호자가 있어야 한다며 말렸다. 실장이 아버지가 곧 도착한다고 말했다. 내가 어떤 증상으로 입원했는지도 알렸단다.

실장이 집으로 가고 침대에 누워 휴대전화 문자를 확인했다.

그놈이 보낸 메시지가 열 거이 넘었다. 삭제 버튼을 누르려다가 증거로 남기려고 저장해두었다.

다음 메시지는 모르는 사람이 보낸 것이었다.

〈스승님이 추천해주셔서 콜라 님을 찾았어요. 스승님은 꼭 따뜻한 밥을 차려주시고, 허무맹랑한 제 이야기를 잘 들어주셔서 마음이 편했어요. 저도 힘들지만 환자를

챙겨야 하는 의무가 있으니, 다음 주부터 문을 열겠습니다. 꼭 와주십시오.〉

메시지 끝에 병원 주소가 적혀 있었다. 고향에 있는 '마음돌봄' 정신건강센터였다.

인터넷에 병원 이름을 입력했다. 전문의 이름과 사진을 볼 수 있었다. 대표 원장의 얼굴이 익숙해서 사진을 확대했다. 커피믹스였다. 프로필에는 지방대 의대를 졸업했다고 적혀 있었다. 그녀는 나의 증상도 구체적으로 잘 정리해놓았다.

이어서 아버지가 보낸 메시지가 왔다.

〈지금 텍시 타서 가고 있다. 애전에 나한테 상담 받은 청년이 목숨을 끊었어. 너무 충격을 받아서 유능한 의사한테 상담받고 약을 먹는다. 그 의사를 만나지 안았다면 이미 저 세상에 갔을 거다. 그 의사가 다시 진료 하니 꼭 가 봐라. 볼팬한테도 연락했다.〉

아버지가 말한 병원은 마음돌봄 정신건강센터였다.

생각해보니 몇 년 전에 아버지가 일을 쉰 적이 있었다. 그즈음 느닷없이 화를 내고 식사도 거른 채 술만 마셔서 나와 자주 싸우곤 했다. 그런 일을 겪었는지 미처 몰랐다.

어제 주문한 물건 준비 안내 문자가 왔다. 발송 전이라 주문을 취소했다. 그녀가 말한 내 증상에 쇼핑 중독도 있었다.

전화가 울렸다. 협박범이었다. 그놈에게 방송국과 경찰에 알리라고 말하고 수신 거부했다.

커피믹스에게도 메시지를 보내 진료 예약을 했다. 그녀는 진료비 대신 도시락 2인분을 가져오라고 답문을 보내왔다. 그리고 자신의 스승님도 상담을 잘한다며 한 번 가보라고 권유했다.

스마트폰으로 메일 어플에 접속해 아버지에게 상담 편지를 쓰기 시작했다. 사주는 정확히 적었으나 태어난 시간은 모른다고 둘러댔다. 불안한 일이 생겼는데 해결이 잘 될지, 어떻게 해야 마음이 편안해지는 그 방법을 물었다. 상담료를 이체할 때는 흔한 남자 이름으로 입금해야 겠다.

침대에 눕고 이불을 덮었다. 사방에서 들려오는 반복되는 소음에 몸이 나른해지고 하품이 나왔다. 어깨결림, 가슴 두근거림도 조금 사라져 곧 잠이 들 것 같았다. 불면증에 시달리는 내담자들이 나탑방에 들어가면 이런 기분이라고 했다. 생각해보니 그 방에 오 분 이상 머문 적이 없었다. 내일 퇴원하면 먼저 나탑방에 가야겠다.

각자의 방식

고속도로가 너무 막혀서 아홉 시가 넘어서야 요금소를 빠져나왔다.

　옆에 앉은 교장이 또 소리 없이 방귀를 계속 뀌었다. 바람이 차가웠지만 창문을 닫을 수가 없었다. 직장 내 갑질 사례로 고발하고 싶어도 방귀가 흔적 없이 사라져 증거가 없었다.

　"김 선생, 이틀 동안 고생했어! 나 때는 말이지, 교장이 등산을 가자고 하면 무조건 따라갔는데, 요즘 젊은 교사들은……"

　"등산 좋아하고, 교장 선생님을 곁에서 모시면서 많이 배워서 일석이조예요."

이틀 동안 미세먼지 속에서 산행을 했더니 목이 칼칼했다.

교장은 거울을 보며 가발을 만지작거렸다. 아침에 온천에서 가발 벗은 교장을 알아보지 못해 한참을 찾아다녔다. 나도 오랫동안 임용고시를 준비하며 스트레스를 받아 머리카락이 빠지기 시작했지만 돈이 없어 관리를 하지 못했다. 다섯 살 차이가 나는 여자 친구와 같이 다니면 작은삼촌처럼 보이는 것 같았다.

교장의 집 위치를 내비게이션에 입력하며 틈틈이 휴대전화를 살폈다. 여자 친구의 연락은 없었다. 야간열차를 타서 주말에 남해로 여행을 가려고 했는데, 학교 일을 핑계로 출발 직전 약속을 취소했다. 그녀에게 등산을 꼭 가야 하는 까닭을 말할 수 없었다.

금요일 저녁, 회식 자리에서 교장은 회장을 맡고 있는 모임에서 등산을 간다며, 같이 갈 사람이 없는지 슬쩍 물었다. 차를 대신 운전하고 식사와 막걸리를 챙겨 산에 올라가는 짐꾼 역할을 해야 했다. 등산을 좋아한다고 말하며 따라가겠다고 선수를 쳤다. 12월 초에 정교사 채용이 시작된다. 기간제 자리도 구하기 힘든 대학 출신이라 교장의 도움이 절실했다. 다른 학교 기간제는 아침마다 교장을 태우고 출근도 한다는데 그에 비하면 나는 편했다.

"김 선생, 바지에 뭔가 묻었어!"

교장이 가리킨 바짓단 위쪽에 얼룩이 묻어 있었다.

새벽까지 독한 양주를 여러 병을 마신 어느 중학교 교장이 이불에 토악질을 했는데, 뒤처리를 할 때 묻었나 보다. 고무장갑이 없어서 맨손으로 바닥을 닦고, 이불을 빨았다. 이 영감탱이는 노래방에서 도우미한테 나이가 많다고, 살이 쪘다고 몇 번이나 퇴짜를 놓았다. 도덕 교사만의 엄격한 기준이 있었다.

"김 선생, 어느 대학 나왔지?"

교장이 라디오 소리를 작게 했다.

"문화대 나왔습니다."

"문화대? 그 대학에 사범대학이 있나?"

나는 교직 이수를 했다고 중얼거리듯 말했다.

4년 장학금을 받는 조건으로 이름 없는 사립대 국문학과에 진학해서 작가를 꿈꾸며 신춘문예를 준비한 적도 있지만 전역 이후 정신을 차리고 교직 이수를 했다. 하지만 정교사와 인연이 없었다. 졸업 이후 팔 년 동안 학원 강사, 기간제 교사를 전전하면서 임용고시를 준비했는데 올해도 낙방했고 어느덧 서른다섯 살이 되었다. 또 떨어졌다고 말할 수 없어서 주변에 합격했다고 거짓말을 했다. 감격한 어머니가 떡을 해서 친척과 동네 사람들에게 돌렸다. 나는 그 떡을 먹을 수 없었다. 어머니한테는 발령이 늦어져서 일 년 동안 기간제 교사를 하겠다고 둘러댔다. 어머니는 곧 공립학교로 발령이 난다고 믿고 있다. 들통이 나기 전에 정교사 채용에 꼭 합격해야 한다.

"김탁오 선생, 그 일은 어떻게 되고 있어?"

교장이 내 휴대전화를 힐끔거렸다. 녹음을 하고 있는지 살피는 것 같았다.

"이번에는 더 열심히 썼으니 결과가 좋을 겁니다. 이사장님도 흡족하실 겁니다."

목에 힘을 주고 크게 말했다. 출발할 때부터 전원을 킨 녹음기를 바지 주머니에 넣어두었다.

두 달 전이었다. 2학년에서 폭행 사건이 벌어져서 지역 언론에 보도되었다. 교장이 안일하게 대처해서 화가 난 피해 학생 부모는 청와대 국민청원 게시판에 올리겠다고 말했다. 그 사이에 중앙 언론에서도 취재를 시작해 사건이 걷잡을 수 없이 커졌다. 일을 더 키웠다고 이사장이 교장한테 유리로 만든 재떨이를 던졌다는 소문이 돌았다. 교장 이마에 난 흉터를 보니 사실일 것이다. 교장은 잘리지 않으려고 이사장한테 갖은 아부를 했고, 급기야 나에게까지 도움을 요청했다.

차가 교장이 사는 동네에 도착했다. 교장에게 일본 포르노 다섯 편이 저장된 유에스비를 건넸다. 교장의 취향에 맞춰 가슴이 큰 여자들이 나오는 영상을 골랐다.

"김 선생하고 앞으로 계속 같이 일하고 싶어. 무슨 뜻인지 알지?"

집에 도착하니 열한 시가 넘었다.

샤워를 하고 여자 친구와 통화를 했다. 목소리에 힘이 없었다. 은행원인 그녀는 오늘도 출근해서 대출 업무를 처리하고 지금 돌아왔단다. 수백 장의 대출 서류를 하나하나 다 확인하고, 정산을 하느라 야근을 했다.

"연말에 여행갈까? 멋진 리조트에서 머물면서 스파도 하고, 맛있는 식사도 할 수 있는 티켓을 구했어."

그녀가 물었다.

"시간 되면 가자! 내일 어떻게 될지 아무도 모르잖아."

정교사 채용에 탈락하면 연말에 임용고시를 봐야 한다.

"어제 어느 무대에서 노래를 불렀어. 박수도 많이 받고, 돌아올 때 선물도 챙겨주더라. 지점장도 인정하는 노래 실력이잖아! 마지막 기회라고 할까?"

그녀는 차분하게 발라드를 불렀다. 원곡 가수보다 호소력이 있었다. 노래 경연 대회에서 입상해 상품으로 냉장고, 세탁기, 노트북까지 받는 실력자였다.

"오디션 프로그램 예선을 보고 왔어? 탈락한 거야?"

여자친구는 피곤해서 자야겠다고 말하면서 먼저 전화를 끊었다.

잠시 뒤 어머니가 현관문을 열고 들어왔다. 일요일이라서 호출이 없어서 일찍 들어왔나 보다. 어머니는 여성 전용 대리 운전을 한다. 안전하게 운전을 잘한다고 입소문이 나서 예약하는 손님이 많았다.

"시내에서 어떤 놈이 여자를 성추행하길래, 경찰에 신고하느라 오늘 공쳤어. 내일 증인으로 또 조사를 받으러 가야 해!"

어머니가 침을 튀기며 성추행범을 욕했다.

어머니는 불의를 보면 참지 못하고, 어려운 사람들을 잘 도와서 왕곡동 황 반장이라는 별명이 붙었다. 아버지가 일찍 돌아가신 뒤 젊을 때부터 여러 가지 힘든 일을 겪어서 어려운 사람들의 상황을 누구보다 더 잘 헤아렸다.

어머니가 하품을 하며 주머니에서 돈을 꺼냈다. 꾸깃꾸깃 접힌 삼만 원이 전부였다.

방에 들어가 책상에 앉았다. 문득 이사장 손자 민웅이

가 떠올라서 한국대학교 홈페이지에 접속해 공지사항을 확인했다. 발표가 내일 오후라고 적혀 있었다.

고액 과외도 머리가 나쁘면 의미가 없다는 것을 녀석이 증명했다. 성적이 바닥이어서 명문대 수시 합격은커녕 고속버스를 타고 2시간을 달려야 도착하는 대학에 겨우 입학할 실력이었다. 하지만 재단 이사인 민웅이 엄마는 포기하지 않고 진학 부장을 닦달했다. 지켜보던 교장이 나한테 좋은 방법이 없는지 조심스럽게 물으면서 정교사 채용이 얼마 남지 않았다는 말도 덧붙였다. 며칠 동안 고민 끝에 새로운 방식을 찾아야 했다. 성적 조작은 걸릴 위험이 많았다.

노트북 전원을 켜고 녹음기에 저장된 교장과 나눈 대화 녹취 파일을 옮겼다. 컴퓨터가 고장 나서 파일이 사라질 것을 대비해서 인터넷 웹하드에도 저장해두었다.

밤 열두 시가 지났다. 침대 아래에 숨겨놓은 임용고시 교육학 책을 꺼냈다. 칼로 어깨를 찌르는 것 같아 서랍에서 파스를 꺼내 붙였더니 싸한 냄새가 퍼졌다. 정교사 채용이 안 될 수도 있으니 임용고시도 준비해야 했다.

미세먼지가 없어서 상쾌한 월요일 아침이었다.

삼십 분 일찍 출근해 교문 앞에서 학생 지도를 했다. 기간제는 정교사들이 싫어하는 학생부를 맡아야 했다.

화장을 너무 진하게 한 여학생을 불렀다. 야단을 칠수록 얼굴을 찌푸렸다. 더 혼내면 쌍욕을 뱉을 것 같아 들어가라고 턱짓했다. 기간제 선생이 너무 나댄다고, 삼류대 출신이 잘난 척한다고 막말을 하는 아이들도 있었다.

오 분이 지나면 지각이라 아이들이 교문으로 몰려들 때, 검은색 외제 차가 정문 앞에 멈췄다. 차에서 민웅이가 내렸다. 나는 급히 시선을 돌렸다.

오후에 한국대 청소년 문학 공모전 수상자를 발표한다. 민웅이가 끼적거린 아주 짧은 글을 내가 단편소설로 고쳐서 응모했다. 신춘문예 준비를 했던 터라 어렵지 않았다. 이번에 입상하면 민웅이는 수시모집 지원 자격을 얻고, 내년에 한 번 더 수상을 하면 웬만한 대학교 인문학부에 무난하게 합격할 수 있다.

아침 학생 지도를 끝내고 교무실에 들어갔다.

"한문 선생님이 아파서 결근했는데, 김 선생님이 대신 들어갈 수 있죠?"

교무부에서 시간표를 맡은 하 선생이 물었다. 알았다고 대꾸했다.

"김 선생, 다 들어주니까 기간제를 호구로 알잖아."

박 선생이 속삭이듯 말했지만 워낙 목소리가 커서 모두 들었을 것이다. 나는 입을 다물라고 손짓했다. 박 선생과 나는 과목도, 나이도 같아 가깝게 지냈다. 다른 점은 출신 대학교였다. 그는 지방대지만 거점 국립대 국어교육학과를 졸업해서 영화감독을 꿈꾸며 대학원에서 공부하다가 포기하고 이제야 정교사가 되려고 준비했다.

"박 선생, 적금이나 펀드 가입할 생각 없어? 여자 친구네 은행에 좋은 상품이 나왔대."

"정교사나 돼야 가입할 돈이 생기지!"

수업 종이 울렸다. 출석부를 챙겨 교실로 가는데 교장

이 지나갔다.

"김 선생, 이번 동영상 죽이더라! 근데 박 선생하고 친해? 사람이 어때?"

"똑똑하죠. 글도 잘 쓰고, 여러 가지로 능력자라서 학교에만 있기에는 아까운 인재죠! 여학생들한테 인기도 많아요!"

"박 선생이 여학생들하고 친해?"

교장이 걸음을 멈추고 주변을 둘러보았다.

"잘 생기니까 인기도 많죠, 지난번에는 전시회에도 여학생들이랑 같이 갔어요."

박 선생이 대학 선배의 전시회에 남학생 세 명, 여학생 한 명과 다녀왔다. 나한테도 같이 가자고 했지만 미술에 관심이 없어서 거절했다.

이번 정교사 채용에 가장 유리한 사람은 박 선생이었다. 9월 발생한 학교 폭력 사건을 박 선생이 해결한 셈이었다. 지상파 방송 기자가 취재를 시작할 때, 대학 선배인 변호사를 소개했는데, 변호사가 피해자 입장에서 사건을 잘 마무리했다. 그 이후 이사장과 교장이 박 선생을 총애했다.

6교시 수업을 마치고 진하게 탄 인스턴트커피를 마시며 도서실로 향했다. 프림이 느끼해 구역질이 났다. 점심시간에 출장을 다녀오느라 밥을 굶었더니 허기가 졌다. 편의점에서 산, 피로를 풀어준다는 드링크 음료도 마셨다. 속이 쓰려 위에서 산이 올라왔다.

도서실에서는 문예부 학생들이 문집 준비 회의를 하고 있었다.

"한국대 문학상 수상자를 발표했는데, 민웅이가 우수상을 받아!"

문예부장 녀석이 말했다.

그 소식을 들은 민주의 어깨가 축 늘어졌다. 형편이 어려운데도 열심히 공부하고, 소설도 잘 써서 상도 많이 받았다. 이번에도 상금을 받으려고 응모했을 것이다.

"글 안 쓰고 게임만 하는데 어떻게 큰 상을 받을 수 있지?"

다른 녀석이 입을 삐죽거렸다.

"안타깝지만 글쓰기는 노력보다 재능이 더 중요해! 과자 사다 먹으면서 문집 준비해라."

구석에서 잡지를 정리하던 박 선생이 문예부장한테 이만 원을 건넸다.

아이들의 환호가 야유처럼 들렸다. 박 선생과 눈이 마주쳤는데 나를 보며 희미하게 웃었다.

나도 아이들한테 삼만 원을 주고 복도로 나왔다. 이어서 민주가 책가방을 들고 따라나왔다. 나는 고개를 돌려 창밖을 보았다.

수상자 명단을 다시 확인하고 서둘러 교장실로 내려갔지만 아무도 없었다.

운동장으로 나가면서 교장한테 전화를 했다. 물론 녹음 버튼도 눌렀다.

"민웅이가 한국대학교 문학상 우수상을 받았습니다."

"김 선생, 갑자기 무슨 소리를 하는 거야? 곧 학교로 갈 거야."

교장이 퉁명스럽게 전화를 끊었지만 목소리가 밝았다.

잠시 뒤 주차장으로 검은색 자동차가 들어왔고 교장이
손을 흔들었다.

차에서 내린 그가 빠른 걸음으로 나무가 심어진 체육
관 뒤로 걸어갔다. 자동차 블랙박스도, 감시카메라도, 보
는 사람도 없었다. 나는 주머니에 들어있는 볼펜 모양의
녹음기 전원을 눌렀다.

"한국대 문학상 소식을 알면 이사장님도, 민웅이도 좋
아하겠죠?"

"김 선생은 작가 해도 될 만큼 재능이 있어."

교장이 흰 봉투를 주머니에 넣고 자리를 떠났다.

봉투에는 오십 만원이 들어 있었다. 휴대전화로 봉투와
돈을 찍어두었다. 봉투에는 교장의 지문이 묻었으니 잘
접어서 주머니에 넣어두었다.

멀리서 보니 민주가 교문을 빠져나갔다. 뛰어가서 먹을
거리를 사주며 격려를 하고 싶었지만 가까이 다가갈 수
없었다.

일을 끝내고 퇴근을 하면서 여자 친구에게 문자를 보냈

다. 은행에 일이 많아 다음에 보자는 답문이 왔다. 오랜만에 어머니와 식사를 하려고 차에 올라 집으로 가고 있었다.

전화가 울렸다. 등산을 같이 갔던, 도덕적인 영감탱이 중학교 교장이었다. 좋은 소식을 전해주겠다며 오늘 꼭 만나야 한다며 다짜고짜 약속을 정했다. 그의 목소리를 듣는 순간, 양주를 마시고 토악질하던 모습이 생생했다.

시내에서 가장 유명한 한정식 식당으로 들어가 영감탱이의 이름을 말했다. 직원이 죽림 방으로 안내했다. 한지를 바른 미닫이문에 대나무 그림이 그려져 있었다.

식혜 한 잔을 마시고 메뉴판을 보고 있는데 영감탱이가 들어왔다. 가장 비싼 칠만 원짜리 코스 요리를 주문했다고 말했다.

그는 교장들을 험담하면서 전통 소주 한 병을 금세 마셨다. 삼만 원짜리였다.

"무슨 일로 저를 부르셨는지……."

영감탱이의 술잔에 소주를 부었다. 그는 술이 없다며

한 병을 더 주문했다.

"김 선생, 얼굴도 보고 싶고! 음식 다 먹고 천천히 이야기해. 느긋해야 큰 사람이 되는 거야."

교장의 얼굴이 빨간 고무대야처럼 변했다.

음식이 나오자마자 그는 우럭회, 묵, 전, 갈비를 먹어치웠다. 며칠은 굶은 사람 같았다.

식사가 끝날 무렵, 영감탱이가 휴대전화를 달라고 하더니 배터리를 분리했다.

"요즘은 녹음을 많이 하잖아. 믿지 못하는 불신 사회, 문제가 많아! 본론을 바로 말하면, 우리 학교에서 정교사를 뽑는데 김 선생을 추천했어. 나랑 같이 일할 수 있어?"

잘못 들은 것 같아서 조심스럽게 되물었다. 그가 환하게 웃으며 정교사 채용 이야기를 했다.

"열심히 하겠습니다. 등산 때도 잘 챙겨주셔서 같이 일하면 좋겠다고 생각하고 있었습니다."

무릎을 꿇고 앉아 두 손으로 선생님의 술잔에 술을 따랐다.

"윗분들한테 인사도 해야 하니까 한 장 정도 준비하면 될 거야. 내가 중간에서 잘 말해서 많이 낮춘 거야. 솔직히 김 선생, 출신 대학이 좀 그렇잖아."

선생님이 트림을 하더니 이쑤시개로 아랫니에 낀 고기를 뺐다.

"한 장이라면?"

"눈치 빠른 사람이 왜 이래? 지금 다니는 고등학교 강교장 밑에서 정교사 될 것 같아? 마누라 빽으로 교장에 올라서 힘이 없어. 지방 삼류대 나와서 능력도 없는데 욕심은 많아서 조강지처도 버리고 지금 부인이랑 재혼했어. 전처 자식도 돌보지도 않는 놈이 뭔 선생이라고!"

그는 빈 접시에 누런 가래침을 뱉고 일어났다. 계산은 내 몫이었다.

오랜만에 독한 술을 마신 탓인지 머리가 띵하고 속이 울렁거려서 화장실로 달려갔다. 헛구역질을 하다가 변기에 먹은 것을 게워냈다. 코에서도 뭔가가 흘러나와 불쾌한 냄새가 느껴졌다.

세면대에서 얼굴을 씻다가 무심코 거울을 보았다. 눈동자에 실핏줄이 선명했다.

화장실 밖으로 나왔는데 영감탱이는 보이지 않았다.

대리운전을 불러서 기사에게 집의 위치를 말하며 눈을 감았다. 잠이 오지 않았다.

집에 도착해 비척거리며 현관문을 열었다. 어머니가 소파에 앉아 있었다. 탁자 위에 만 원짜리 지폐가 수북했다. 오늘도 대리운전을 다녀온 것 같았다.

"어머니, 저도 운전 잘하는데 대리 운전 뛸까요?"

"선생 하기 힘들면 그만둬라. 뭘 해도 먹고 살 수 있어!"

어머니도 소주를 마시고 있었다.

"밤에 술 한 잔 마시면 몸에 좋다더라. 같이 한잔할까?"

어머니가 신김치를 맨손으로 찢어 입에 넣었다. 나는 소파에 기대어 앉았다.

"며칠 전에 중학교 여자 교장 선생님 차를 몰았는데, 발도 넓고 아는 사람도 많더라. 나이가 나랑 비슷한데 능력이 있어서 부러웠어. 아들아, 좋아하는 여자 있으면 따지지 말고 결혼해. 이것저것 따지다 보면 쉰 살이 넘을 수도 있어."

"제가 알아서 할게요."

목소리가 날카로워졌다. 어머니는 깊은 한숨을 내쉬
었다.

방에 들어가 옷을 갈아입고 다시 책상에 앉아 임용고
시 준비를 했다. 글자가 흔들려 한 문장도 읽을 수 없어서
침대에 누웠다.

휴대전화 소리에 눈을 떴다. 설핏 잠이 들었나 보다. 그
녀의 전화였다. 수신 거부를 눌렀다.

퇴근을 일찍 해서 여자 친구가 일하는 은행으로 향했
다. 그녀에게는 미리 말하지 않았다.

친구들한테 적금, 펀드 상품을 소개했더니, 9급 공무원
에 합격한 녀석이 가입하겠다고 연락을 해왔다. 대학 동
창들 중에서 가장 좋은 직장에 다니는 셈이었다.

그녀가 보이지 않아 1번 창구로 다가가서 여자 친구가
어디에 있는지 물었다. 그 직원과는 예전에 몇 번 본 적이

있었다.

"말해도 되나? 어제 퇴사했어요."

마감 시간이라 혼잡해 더 물어볼 수 없었다.

안면이 있는 청원 경찰한테 여자 친구에 대해 물었다.

"어차피 다 알게 될 테니 말할게요. 어제 재계약에 실패했어요."

그녀는 11개월 계약직 직원이었다고 한다. 모집 공고를 검색해보니 학력, 나이 모두 무관하게 누구나 지원 가능하고 우수 직원은 계약 연장 혜택도 있었다. 그녀가 왜 주말에도 은행 행사에 나갔는지 알 것 같았다.

친구한테는 여자 친구가 외근 나갔다고 둘러대며 다음에 가입하자고 말했다.

녀석이 밥을 먹자고 했지만 핑계를 대서 여자 친구가 사는 원룸으로 향했다. 그녀에게 계속해서 전화를 했지만 받지 않았다.

원룸 빌라에 도착해서 집 앞이라고 문자를 보냈더니 그녀가 주차장으로 내려왔다.

저녁이 되자 바람이 차가웠다. 그녀가 카페에 가자며 앞장섰다.

"왜 쓸데없이 돈을 써?"

우리는 차 안으로 들어갔다. 히터를 틀지 않아 싸늘했다.

"은행에 갔더니 퇴사했다고 하더라."

"맞아. 계약을 1년 더 연장해주겠다고 해서 주말에 지점장네 집에 가서 김장도 하고, 장모 칠순 잔치에서 노래를 열 곡도 넘게 불렀어. 나를 기획사에서 부른 신인가수라고 소개하더라."

여자 친구가 칠순 잔치에 부른 노래를 다시 불렀다. 박자가 빠른 트로트로 제목은 '세상은 요지경', '곤드레만드레'였다. 지나가던 사람들이 우리를 흘깃거렸다.

"학점은행제 출신이라 취업이 쉽지 않아."

그녀의 손을 잡았다. 떨림이 고스란히 전해졌다.

나도 비밀을 털어놓으려다 입을 다물었다. 아직 정교사 채용이 남아 있었다.

차에서는 아무 소리도 들리지 않았다. 가끔 그녀가 내

쉬는 한숨 소리만 또렷했다.

"돈을 아끼느라 한 번도 여행 간 적 없으니까 연말에 여행 가자."

그녀는 은행에서 경품 추첨 담당을 맡았는데 가족들, 친척들 이름으로 추첨권을 많이 넣었다고 한다. 그 덕분에 주유권과 특급 호텔 숙박권이 당첨됐다고 자랑했다.

"지점장이 실적을 높이려고 자신의 활동비로 산 경품이야. 그래서 더 악착같이 당첨되려고 했어."

그녀는 며칠 전보다 눈 밑이 검었고, 피부는 까칠했다.

"라면에 밥 말아서 먹자. 지점장네 집에서 굴, 오징어를 많이 넣은 김치를 챙겨왔어. 굴, 오징어 좋아하잖아. 그날 이후 지금도 가방에서 김치 냄새가 나!"

그녀는 내 입맛을 정확히 알고 있었다. 뜨거운 국물이 그리운 날씨였다.

원룸으로 들어가기 전 스마트폰으로 교육청 홈페이지에 들어가서 정교사 채용 공고를 확인했다. 아직 올라오지 않았다.

어제 기말고사가 끝났다. 일찍 출근해 성적 처리를 하느라 정신이 없었다.

아침 조회를 마치고 창가에 서서 커피를 마셨다. 겨울 황사가 심해 목이 컬컬하고 자꾸 기침이 나왔다.

"서운대 소설 공모에서도 민웅이가 상을 받았어요. 정말 재능이 있나 봐요."

행정실무사가 공문을 보여줬다. 그 소식을 들은 다른 선생들도 민웅이의 재능을 칭찬했다.

한국대 공모전에서 받은 우수상보다 높은 대상이었다. 이제 민웅이는 웬만한 대학교 국문학과나 문예창작학과에 무난히 합격 가능했다. 이번에는 누가 대신 글을 쓴 것일까.

마침 박 선생이 교무실로 들어왔다. 민웅이의 소식을 이미 알고 있었다.

"글쓰기를 잘하면 평생 먹고 살 수 있을 것 같아. 나도 더 소설을 공부해야겠네."

헛기침을 하며 중얼거렸다.

"국어 선생이 글을 잘 쓰면 좋지. 각자의 방식대로 사는 거잖아."

박 선생이 수업 준비를 서둘렀다.

종이컵을 찌그러트려서 쓰레기통에 버리고 녹음기를 챙겨 교장실로 갔다.

"민웅이가 서운대에서도 상을 받았네요."

"역시 재능은 숨길 수가 없어!"

교장이 거울을 보며 가발을 제대로 쓰고 있었다.

"박 선생한테 어떤 대가를 주기로 했어요? 박 선생이 대필했잖아요!"

"김 선생, 무슨 소리야?"

교장이 내 팔을 붙잡더니 재킷 안으로 손을 넣고 주머니에 들어있는 볼펜 모양의 녹음기를 꺼냈다. 막을 겨를이 없었다. 그는 볼펜 뚜껑을 돌려 손톱만 한 배터리를 꺼내 바닥에 던졌다.

"폭로하면 김 선생도 대학 입시 방해로 구속이야. 같이 죽을 필요 없잖아."

교장이 녹음기를 쓰레기통에 버렸다.

시험이 끝난 직후라 아이들은 수업에 집중하지 않았다.

이야기 구성을 배운다는 핑계로 시트콤 영상을 틀어주고 임용고시 책을 훑어보았다. 1차 시험이 보름 앞으로 다가왔지만 올해도 학교에 근무하느라 준비를 제대로 하지 못했다.

교무부장이 문집 발간 일정을 확인하는 메시지를 보내왔다.

스마트폰으로 문예부 인터넷 커뮤니티에 접속해 문집 최종 파일을 다운받으면서 게시판을 훑어보았다. 민주가 글을 올려놓았다.

〈소설에 재능이 없어서 문예부를 떠나려고 합니다. 열심히 가르쳐주신 선생님께 감사드려요. 글쓰기는 열정보다 재능이 중요한가 봐요. 시간 낭비하지 않고 공부에 집중하려고요.〉

선생님께 감사드려요, 라는 말이 눈에 거슬려 다시 읽을 수 없었다.

수업이 끝나 복도로 나갔다. 마침 민주가 걸어왔다. 교과서를 보는 척하면서 창밖을 내다보았다. 미세먼지가 심각해서 먼 산이 보이지 않았고 마스크를 낀 사람들이 걸음을 재촉했다.

교무실로 내려가다가 민주가 올린 게시물을 복사해서 박 선생에게 메시지로 보냈다.

1층 중앙현관을 지나 교무실로 들어갔다. 어떤 아저씨가 화를 냈고 그 옆에 있는 박 선생이 쩔쩔맸다. 이번에는 부인으로 보이는 여성이 박 선생에게 삿대질을 했다. 교장이 두 사람을 달래느라 정신이 없었다.

두 사람의 낯이 익어 자세히 보니 9월에 발생한 학교폭력 가해자 부모였다.

"저런 쓰레기 같은 선생이 아이를 가르쳐? 당장 학교문 닫아!"

여자가 소리를 질러댔다.

"박 선생, 제정신이야? 경찰 조사받아야 할 거야."

교장이 학부모들을 겨우 설득해서 데리고 밖으로 나갔다. 박 선생이 그 뒤를 따랐다.

9월에 박 선생이 폭력 피해 학생 부모를 만나서 합의하지 말고 가해자한테 강하게 항의하면 돈을 더 많이 받을 수 있다고 부추겼다고 한다. 그렇게 사건을 키우고, 친한 변호사를 소개해 매끄럽게 마무리를 해달라고 부탁한 것이다. 취재를 하겠다고 한 중앙 언론사 기자 또한 박 선생의 대학 후배였을 거라는 말이 들려왔다.

아침에 교장에게 따졌던 일이 머리를 스쳐 지나갔다. 정교사 채용이 얼마 남지 않았다. 얼른 교장을 만나려고 찾아보았다. 주차장에 있던 교장은 학부모의 차에 올라 교문을 빠져나갔다. 저녁에 교장이 좋아하는 다금바리회로 식사 대접을 해야겠다. 또 교장이 좋아하는 포르노도 더 많이 다운받아야겠다.

4교시가 끝나 급식실에 갔다. 선생들이 박 선생에 대해

수군거렸다. 아이들도 마찬가지였다.

민웅이가 한국대, 서운대에서 수상한 작품 모두 박 선생이 대필한 것 같다는 이야기가 들려왔다. 도저히 밥을 먹을 수 없어서 식판을 반납하러 갔다.

"김, 선생, 정교사 채용 공고가 올라왔는데…… 재단 이사가 원래 국어 티오가 없었대. 내년에는 기회가 올 거야."

교무부장이 내 어깨를 두드렸다.

음식을 잔반통에 버리는데 손이 힘이 없어서 국그릇이 바닥에 떨어져 미역이 쏟아졌다. 지나가던 문예부 아이들이 달려와서 휴지로 닦아주었다. 고맙다는 말도 나오지 않았다.

급식실 밖으로 나가 스마트폰으로 정교사 모집 공고를 살펴보았다. 모집 과목은 영어, 사회, 과학, 체육만 있을 뿐이었다. 이번에 국어 교사도 뽑는다고 말하던 교장의 옅은 미소가 떠올랐다.

"선생님, 박민수 선생님, 어떻게 그런 짓을 할 수 있어요?"

문예부장이 다가왔다.

"무슨 짓을 말하는 거야? 폭력 사건?"

"폭력 사건도 문제지만 대필이 더 큰 일이죠! 민웅이의 수상 작품 모두 박민수 선생님이 대신 써 준거래요. 책도 안 읽는 강민웅이 어떻게 상을 받아요!"

"맞아요. 그 때문에 민주가 문예부를 탈퇴했어요"

다른 녀석이 눈을 흘겼다.

"박 선생이 대필했다는 증거도 없잖아! 말을 함부로 하면 안 돼!"

목소리가 너무 컸다. 아이들이 입을 삐죽거리며 급식실로 돌아갔다.

운동장 구석으로 걸어가다가 한국대 신문사에 연락해서 민웅이의 글이 대필이라고 털어놓았다.

"명확한 증거가 없이는 수상 취소를 시킬 수 없어요."

공모전 담당자의 목소리가 날카로웠다.

"제가 대신 썼어요. 민웅이와 부모님, 학교장한테 물어보면 취소에 동의할 겁니다. 죄송합니다."

담당자의 대답도 듣지 않고 전화를 끊었다.

교무실에 가서 몸이 아프다는 핑계를 대고 조퇴를 했다.

차에 올라 어디로 갈지 망설이다가 여자 친구의 집으로 향했다.

낮이라 도로에 차가 없어서 속도를 높였다. 조금 지나 중앙사거리를 벗어났고 멀리 그녀의 집이 보였다. 유턴해서 다른 곳으로 갈까 망설이는데 문자가 왔다. 박 선생이었다.

마침 신호가 바뀌어서 횡단보도 앞에 차를 멈췄다.

〈책상 정리해서 택배로 보내줄 수 있을까? 훗날 마음 정리가 되면 술 살게!〉

내일 보내겠다고 메시지에 적고 발송 버튼을 누르려는데 전화가 왔다. 어머니였다. 통화 거절을 눌렀는데 이어서 또 전화가 왔다. 받지 않았더니 이번에는 문자로 급한 일이라고 적혀 있었다. 이어폰을 끼고 어머니한테 전화를 했다.

"그렇게 정교사가 되고 싶었냐? 더럽게 살 거면 절대로 선생질하지 말고 나랑 같이 대리운전이나 해라. 난 세상 부끄러운 짓 안 해 봤어."

어머니의 목소리가 너무 커서 귀가 아팠다.

어머니는 임용고시 탈락을 알고 있었다. 중학교 여자 교장의 차를 대신 운전하던 날, 아들이 임용고시에 합격했다고 자랑하면서 언제 발령 나는지 알아봐 달라고 부탁했다고 한다. 교장은 교육청 장학관으로 일하는 친구한테 물어봤고, 그렇게 거짓말이 들통이 났다.

어머니는 나에 대해서 더 알고 싶어서 노트북을 살펴보다가 녹취 파일을 들었던 것이다.

"못된 일을 시키는 교장이나 그 짓을 같이 하는 너나 모두 똑같아! 교장도 자기 잘못을 알고 있냐?"

어머니가 나와 교장을 욕하다가 전화를 끊어버렸다.

마침 신호등의 불이 바뀌었다. 뒤에서 경적을 울려대 급히 가속 페달을 밟는데 교무부장이 전화를 했다.

"얼른 학교로 와요. 지금 김 선생 어머니가 교장실에

와서……."

전화기 너머로 어머니의 고함이 들려왔다.

"우리 아들한테 그런 못된 짓을 시키고도 당신이 선생이야? 교장을 당장 때려치워. 우리 아들도 절대 선생 안 시킬 거야."

"지금 어디에서 폭력 행위에요? 고발하겠어요."

교장도 질 생각이 없어 보였다.

"고발해! 어차피 나는 바닥이라 하나도 겁나지 않아! 우리 아들, 교장, 이사장, 이사장 며느리, 손자, 나까지 모두 조사받고 동반해서 감방에 가자!"

어머니가 소리를 질렀다.

이어서 교장의 비명이 들려왔다. 누군가 '가발, 어떻게 해!' 다급하게 말했다.

어머니가 교장의 가발을 벗긴 것 같았다. 나는 학교로 차를 돌렸다.

난폭한 일상의 냉정한 아이러니

최진석

문학평론가

1.

산다는 것은 곧 경쟁하고 투쟁하는 것이다. 사회생활
은 물론이고, 친구 관계에서나 심지어 가족들 사이에서
도 경쟁과 투쟁은 나날의 관습처럼 우리 몸에 배어 있다.
한때 국가시책으로 경쟁과 투쟁이 집단과 개인을 향상시
키는 방법이자 전망처럼 장려되기도 했다. 무력한 타성
에 젖은 채 제자리에 머무는 생활이란 얼마나 한심한 것이냐, 그러니 나아가라. 타인들과 기꺼이 부딪히며 세상을 배우고 인생을 개척하라. 짐짓 인생의 금과옥조처럼 귀히 떠받들어져야 할 금언처럼 들리지만, 경쟁과 투쟁이 최상의 가치가 될 때 타인에 공감하고 손을 맞잡으며 함께 연대한다는 상상은 부질없는 일이 되고 만다. 공익광고에나 나올 법한 건전한 경쟁의 미소는 그렇게 살벌하고 무시무시한 약육강식 투쟁의 두려움으로 바뀌어버렸다. 이는 비단 직업현장의 가혹한 현실을 묘사하는 말에 그치지 않는다. 투쟁상태의 상례화는 안온해야 할 일상조차 점령해 버린 지 오래다. 어느 웹툰에 묘사된 대로 "회사생활은 전쟁터지만 바깥은 지옥이다."

문부일의 소설 두 편은 이렇게 난폭해진 일상의 참혹함과 그에 휘둘려버린 개인이 맞닥뜨린 아이러니의 냉정함을 잘 보여주고 있다. 이 아이러니한 일상의 면면은 한편으로는 씁쓸한 웃음을 유발하지만, 다른 한편으로는 여기에 아직 남아있는 것이 무엇인지 살피도록 우리를 종용하고 있다. 두 편의 이야기를 가볍게 스케치하면서 작가의 시선이 향하는 의미에 집중해 보도록 하자.

　이 책의 수록 순서와는 반대로 「각자의 방식」을 먼저 읽어보겠다. 기간제 교사로 근무하는 김탁오는 정규직 채용공고를 손꼽아 기다리며 학교생활을 버텨내는 중이다. 그저 마음으로만 취직을 기원하는 게 아니라 교장과 이사회 등의 '권력'에 자신을 맞추며 적극적으로 구직활동을 벌인다고 할까, 정말 할 수 있는 일이라면 무엇이든 가리지 않고 떠안는 형편이다. 가령 여자친구와의 약속도 미루면서 주말 동안 그가 했던 것은 등산모임에 나간 교장을 수발드는 일이었다. 대신 차를 운전하고 식사와 막걸리를 짊어지고 산을 올라야 하는 '짐꾼'노릇을 떠맡는 것이지만 그렇게 교장 눈에 들 수 있다면야 뭐가 대수겠는가? 더구나 김탁오 본인이 출신학교나 이력 등에서 스스로를 변변찮다고 느낀다면야 남들보다 더한 노력이 필요한 것은 어찌 보면 당연한 노릇이다. 다소 비굴해 보일 수도 있고 비참하게 느껴질 수도 있는 사연이지만 전쟁 아니 지옥 같은 일상을 감내하는 현대인들에게 그 정도는 오히려 인생을 살아가는 적절한 요령이나 지혜로도 여겨질 수 있을 터. 문제는 사회적 도덕이나 법적 금지를 넘어서면서까지 그것이 정당화될 수 있느냐에 달려 있다.

아들의 취직을 오매불망 기다리는 어머니에게 거짓 취업소식을 전했다든지, 취직을 빌미로 모욕적인 언사를 내뱉거나 포르노 영상을 요구하는 교장과의 대화를 은밀히 녹음해 두는 것은 차라리 이해할 만하다. 전자는 선의의 거짓말로 동정의 대상이 될 것이며, 후자는 음모와 술수가 난무하는 직장생활에서 최소한의 자기방어책으로 읽힐 수 있는 탓이다. 하지만 이사장의 손자 민웅이를 대신해 문학공모전에서 입상하도록 글을 써준 것은 엄연히 범죄행위다. 단지 법에 저촉되는 데서 그치는 일도 아니다. 이는 재능있는 학생 민주의 소신과 소망마저 빼앗고 포기하게 만드는 결과를 일으킴으로써 김탁오의 행동이 사회도덕과 사법정의를 넘어서는 윤리적 금계마저 깨뜨렸음을 시사한다. 아, 누군가는 이렇게 대꾸할 법도 싶다.

경쟁과 투쟁이야말로 현대적 삶의 디폴트 값일 텐데 도덕과 정의가 무엇이며 윤리 따위가 문제될 일인가? 그 같은 삶의 비열함과 비루함을 우리는 매일의 일상에서 경험하고 있지 않은가? 하지만 소설이 현실을 그대로 복제하는 것이라면, 여기에 어떤 미적 원칙 따위를 찾아낼 이유도 없으리라. 문학에는 현실을 담아내되 그 현실을 초과해버리는 모종의 진실이 담겨있어야 할 것.

세부적 내용이 극악스럽고 비루한 일상의 낱낱을 보여주는 것일지라도, 플롯 자체만을 따져본다면 이 작품이 그다지 새롭다고 느끼진 못할 성싶다. 확실히 나날의 일상은 이제 폭력의 대상이 아니라 그 자체로 폭력의 주체가 되어 우리를 강압하고 있다. 김탁오가 모친에게 거짓 취업 사실을 알리거나 교장에게 굽실거리며 비위를 맞춰주면서도 대화를 녹음하는 것, 동료 박민수를 칭찬하는 듯하면서도 은근히 흠결을 짚어내는 등의 행동은 그의 처지를 고려해 보면 딱하지만 있을 법한 일이다. 범죄 혐의가 짙은 대필사건 역시 지탄의 대상이긴 하나 정교사가 되지 못할 때 일어날 일들, 즉 삶에 치여 사는 모친을 볼 낯이 없다든지 똑같이 비정규직으로 온갖 질곡을 겪어내는 여자친구와의 장래가 불투명해진다거나, 또는 그 자신의 삶에서 더이상 돌파구가 보이지 않는다는 사정 등으로 미루어 볼 때 측은지심을 일으킬 따름이다. 그렇다면 굴종과 모멸감, 범죄에까지 연루된 그를 동정하고 받아들여주어야 할까?

교장의 배신으로 폭발하게 된 결말부에 주목해야 한다. 채용공고는 나지 않고 대필사건은 박민수의 책임으로 넘어가게 생겼다. 소득 없는 헛발질이었을지언정 김탁오가 책임을 질 필요는 없을 것이다. 이 대목에서 대개의 독자들은 옅은 한숨을 내쉬며 내심 다행임을 느낄 듯하다. 하지만 김탁오는 이때 신문사에 연락을 취한다. 그리고 자신이 대필의 주인공이었음을 밝히고 수상취소를 요청한다. 비록 '명확한 증거'가 없이 구두진술로는 취소가 불가능할 일이지만 어쨌든 그가 이 작품에서 처음으로 '옳은' 행위를 했다는 점을 기억하자. 나는 주인공의

이 행동이야말로 이 작품을 하나의 소설로서 완성시켜주는 가장 중요한 장면이라 생각한다. 물론 교장과 이사회에 대해 격분한 심정으로 저지른 보복심리의 발로일 수도 있다. 그러나 우리들 중에 어느 누구도 김탁오처럼 행동하긴 쉽지 않을 것이다. 궁지에 몰렸을 땐 지리멸렬한 파국으로 돌진하기보다 얼른 그 자리를 빠져나가 살길을 도모하는 것이 일반의 상식이자 공통감각에 가까운 까닭이다. 그러니 이토록 비겁하고 너절한 삶의 한 바닥에서 가장 소설적으로 빛나는 부분을 찾는다면, 김탁오의 역설적인 파국이 드러나는 그 행위가 있을 수밖에 없다. 이는 전후 사정을 간파한 그의 어머니가 학교에 찾아와 교장을 상대로 외치는 절규 속에 더욱 생생히 각인되는 듯싶다. "고발해! 어차피 나는 바닥이라 하나도 겁나지 않아!" 가장 밑바닥에 떨어진 인간은 몰락한다, 때로 자신의 인간됨을 증거하며.

2.

　만인에 대한 만인의 투쟁으로 불릴 법한 이 상황은 비단 집단 속 개인들 간의 관계에서만 재현되지 않는다. 개인의 내면 속에서도 그 같은 투쟁은 계속되며, 우리의 의식과 무의식을 옥죄어 지옥 같은 일상 속에 던져 넣는다. 여기엔 정말 빠져나갈 구멍이 없는 걸까?

　「먼저, 그 방」의 주인공은 심리상담사다. 개인 클리닉을 열 정도로 성공했고, 지역 방송사에서 취재까지 나올 정도로 나름의 성취를 이루었다. 그가 연 클리닉의 면면을 살펴보면 실제로 독특하고 뛰어난 아이디어가 돋보인다. 예컨대 심리적으로 억눌린 사람이 마음껏 소리치고 물건을 집어 던질 수 있게 만든 '샤우팅 방'이나, 마음의 불안으로 허기진 사람을 위해서는 따스한 집밥 영상을 보며 한 끼를 채울 수 있게 만든 '꿀맛방'이 있다. 또 촛불 하나만 켜둔 채 숙면에 들거나 스스로에 대한 성찰을 가능하게 해주는 '나탐방'도 재미있다. 이런 종류의 방들이 실제 상담치료에 활용되는지 모르겠으나 누구라도 고개를 끄덕일 만한 흥미로운 장치들인 것은 분명하다. 문제는 주인공의 성공가도를 밝혀주는 화려한 외관이 그의 불안정한 내적 비밀에 기초해 있다는 데 있다. 무엇이 그러한가?

학업성적이 변변치 않았던 주인공은 고교를 자퇴한 후 검정고시를 거쳐 직업전선에 뛰어들었다. 처음 시작한 것은 정수기 판매였는데 남의 말을 잘 듣고 호응을 잘해주는 덕택에 좋은 실적을 거둘 수 있었다. 보험설계사로 전직해서도 이 같은 재능은 녹슬지 않아 나름으로 승승장구할 수 있었건만 암에 걸린 고객이 자살한 후로는 그만두었다. 불면증에 시달리며 사건의 충격에 오래 사로잡혀 있던 그는 결국 심리상담을 받게 되는데, 여기에 묘한 매력을 느끼게 되고 본인이 직접 연구하며 자격증을 땄던 게 상담을 생업으로 삼게 된 사연이다. 일견 전화위복의 스토리처럼 보이지만 그 이면에는 다소 일그러진 인생사의 단면이 녹아 있다.

주인공의 아버지는 유능한 점쟁이였다. 그러나 마치 전설 속의 명의처럼 돈 벌 궁리보다는 사람들의 사정을 살펴주고 마음을 다스리는 데 더욱 역점을 두었기에 그저 용하기만 한 점술가를 뛰어넘는 사람이었다. 주인공이 상담사를 지망하고 그 목표를 이루었을 때는 은연중에 아버지에 대한 선망과 경쟁의식이 자리 잡고 있었고, 무의식적으로는 아버지의 조언(간섭)을 벗어나 자기만의 삶을 개척하고 싶은 욕망이 버티고 있었을 것이다. 이런 마음가짐은 외적으로 열등감의 형태로 발현된다. 낮은 학력과 부족한 재력을 감추기 위해 허위학력을 기재하고 부유한 친구들과 어울리며 허세 속에 젖어 살아가고 있었기 때문이다. 한 마디로, 콤플렉스와 자기기만에 무의식적으로 억압된 주인공은 스스로와의 경쟁을 벌이는 참이었고, 그것이 처절한 자기투쟁의 형식으로 비화해 가는 상황을 독자들은 마주하게 되었다고 할 만하다.

나쁜 일은 겹쳐서 온다든가, 주인공을 기다리는 파국은 금세 찾아온다. 볼펜이란 호칭의 환자는 나탐방에서 깊은 성찰의 시간을 갖기보다 폭주상태가 되어 그를 닦달한다. 차분히 마음을 다스려 보란 충고에 자신의 처지를 되돌아보다가 모두에게 무시당하고 고통을 겪는 스스로와 만나게 된 것. 또 지속적으로 수신되는 익명의 문자는 자신의 허위학력을 문제 삼고 협박을 하기 시작한다. 과소비와 허식을 무장으로 접근하며 이성적 친분을 쌓으려던 주혜는 조만간 결혼하겠다는 소식을 전하고, 자신의 상담능력에 우려를 표시하는 아버지는 여전히 피하고 싶은 존재다. 직업활동에 있어서도, 사적인 삶의 내면에 있어서도 주인공은 물러날 데가 없다. 어디서든 그를 압박하는 현실은 허세 어린 당당함이나 허영 넘치는 쇼핑으로도 물리칠 수가 없다. 이 상황에서 그의 상담을 청해온 또 다른 여성은 기묘하게도 자신의 내적 갈등을 반영하거나 콕 짚어내며 심기를 불편하게 만든다. 이제 주인공이 폭주할 차례다. 급기야 커피믹스를 상담하다가 내면의 굴곡을 들킨 듯한 기분에 휴식을 청하고, 이때 다시 그를 협박하는 문자를 받고 쓰러지고 만다. 어떻게 이 파열을 통과할 것인가?

협박범에 대처하고 중단된 상담을 완결짓는 일은 외적인 사건이다. 반면 주인공을 억압하는 내적인 사건도 중요하다. 아버지와의 관계, 자기 스스로에 대한 불신과 불안, 그리고 빠져나갈 길 없는 두려움. 흥미롭게도, 탈출구는 이 모든 것들에 함께 연결되어 있다. 이를테면, 커피믹스는 아버지가 보낸 사람이며 '마음 돌봄' 센터의 상담의다. 평소 주인공의 심리상태를 걱정하던 아버지가 부탁해서 찾아왔던 것. 알고 보니 아버지 역시 마음의 타격을 입었을 때 도움을 받은 사람이었던 것. 하지만 더 큰 비사가 여기 포함되어 있다. 커피믹스 또한 자신의 심리적 불안정을 아버지에게 상담받아 치유했고, 심지어 그를 '스승님'이라 부를 정도라는 사실이다. 주인공과 그의 아버지, 그리고 커피믹스는 묘하게 서로 물고 물리며 상담받고 상담해주는 상호적 관계 속에 놓이게 된다. 이 구도를 살짝 비틀고 비약해서 읽어보면 어떨까?

아버지는 주인공의 내면적 경쟁상대였다. 한때 우러러

볼 대상이기도 했으나 세상 모든 아비들이 자식들의 호적수가 될 운명을 면치 못하듯, 그 역시 주인공의 질시와 분노, 부끄러움의 대상이었던 것. 그런 아버지조차 실수를 저질렀고 실의에 빠졌으며, (의뢰이자 본심으로) 자신의 상담을 받으러 온 커피믹스의 치료를 받아야 할 때가 있었다. 커피믹스는 또 어떤가? 비록 아버지의 부탁으로 찾아왔다고 했으나 쇼핑몰에서 명품을 구매하며 자신의 허전한 마음을 메워야 한다는 처지에서는 주인공과 별반 다를 바 없었다. 오히려 그런 모습을 본 주인공이 자신의 구매품을 모조리 환불받게 했다는 점에서 이미 치유는 시작된 셈이며, 주인공의 상담에 따라 꿀맛방에서 본인 스스로도 치유를 경험하게 되었다. 서로는 서로를 보살펴주고 도움을 주며 일으켜 세워주는 관계, 여기에 경쟁이나 투쟁이 끼어들 틈새는 없다. 어느 누구도 의도하진 않았으나 미묘한 상호 보충성을 통해 각자는 자신뿐만 아니라 서로를 치유해주었던 셈이다. 절정을 넘어서는 이 대목부터가 실상 주인공이 진정으로 자기의 삶을 살아가는 첫 출발점으로 기록되어야 하는 것은 그런 까닭에서다. 협박범에게는 하고 싶은 대로 하라며 퇴짜를 놓아버리고, 이제 정식으로 자신의 심리 근저에서 압박을 하던 실체와 기꺼이 마주 서고자 한다. 그것은 아버지와의 만남이다.

스마트폰으로 메일 어플에 접속해 아버지에게 상담 편지를 쓰기 시작했다. 사주는 정확히 적었으나 태어난 시간은 모른다고 둘러댔다. 불안한 일이 생겼는데 해결이 잘 될지, 어떻게 해야 마음이 편안해지는 그 방법을 물었다. 상담료를 이체할 때는 흔한 남자 이름으로 입금해야겠다.

침대에 눕고 이불을 덮었다. 사방에서 들려오는 반복되는 소음에 몸이 나른해지고 하품이 나왔다. 어깨 결림, 가슴 두근거림도 조금 사라져 곧 잠이 들 것 같았다. 불면증에 시달리는 내담자들이 나탐방에 들어가면 이런 기분이라고 했다. 생각해보니 그 방에 오 분 이상 머문 적이 없었다. 내일 퇴원하면 먼저 나탐방에 가야겠다.

이 장면을 어설프게 '부자간의 화해'로 읽고 싶진 않다. 아버지와 아들 사이라 해도 성인이자 남인 그들은 서로에게 타인들이다. 자신의 방식으로 자기 삶을 살아왔고, 그럼에도 서로 영향을 끼치고 영향을 받으며 생활해 오던 낯선 사람들. 이런 현사실성이 비단 부자 관계에서만 나타날까? 길을 걸으며 엇갈리는 사람들, 같은 장소에서 서로 다른 방향을 바라보며 헤어지는 사람들, 한 집안에서도 각자의 방에 갇혀 다른 세계를 탐구하는 우리 모두들. 어떤 점에서 우리는 물론 경쟁하고 투쟁하지만, 또 다른 점에서 우리는 무의식 중에 연결되어 있고 관계지어져 있다. 우연이라 부르든 인연이라 부르든 혹은 운명이라 부르든 자신과 타인에 대해 죽을둥 살둥 싸울 필요가 없을지 모른다. 결말에 이른다면 파국은 파국이 아닌 것으로, 밑바닥에서 또다시 반등할 새로운 삶의 시작이 드러날 수 있기 때문이다. 우리는 이를 난폭한 일상이 선물한 냉정한 아이러니라 부를 수 있을 터. 이런 역설이 있는 한, 우리는 어떻게든 다시 일어설 수 있으리라.

고등학교 1학년 겨울 방학, 어느 날 밤이었다. 우연히 우리나라 현대사의 비극을 다룬 단편소설을 읽었고, 너무 큰 충격을 받았다. 역사 수업 때, 선생님이 가르쳐주지 않았고 신문에도 자세하게 나오지 않은, 역사의 낙장이 되어버린 참혹한 시대와 고통을 견뎌낸 사람들을 기억하는 시간이었다.

며칠이 지나도 소설 속 인물들의 그림자가 마음에서 사라지지 않아 도서관에 가서 역사책을 찾아 읽으며 공부도 했다. 그 단편 덕분에 처음으로 좋은 소설의 힘을 느끼며 막연하게 훗날 글 쓰는 사람이 되고 싶었다.

시간이 흘러 글을 쓰는 사람이 되었다.

글쓰기의 의미를 잊고 있을 때, 마감 날짜에 맞춰서 기계적으로 글을 쓸 때마다 문득 그 단편소설을 읽던 한겨울, 그날 밤이 떠오른다.

나는 왜 그 작품을 읽으며 전율했을까.

생각해 보니 죄 없이 죽어간 사람들을 위로하는 작가님의 진심이 고스란히 전해졌던 것이다.

그렇다면 나는 내 소설 속 인물들이 세상에 전해달라고 하는 간절한 이야기에 귀를 기울이고 있는지 스스로에게 물어본다. 더 노력해야겠다.

글을 쓸수록 더 어렵다. 특히 요즘 문학계를 보면서 '한 단어도 허투루 쓰면 안 된다!'는 기본적인 말을 다시 가슴에 담는다.

등단 이후 아동청소년문학에 집중했고, 가끔 소설을 썼다. 재능과 노력 모두 부족해 소설 쓰기 실력이 늘지 않았다. 평소에도 잘 알고 있었는데 이번에 교정지를 읽어보니 절절하게 와 닿아서 얼굴이 화끈거렸다. 해설을 쓰시느라 고생하신 최진석 선생님께 감사의 뜻을 전한다. 더

분발하는 계기로 삼아야겠다.

경기문화재단의 도움을 받아 『각자의 방식』을 발표할 좋은 기회를 얻었다.

2020년 1월, 몹시 추운 어느 날, 김포시 통진도서관 '작가의 서재'에서 초고를 썼고, 반년이 지난 한여름, 같은 공간에서 수정하고, 작가의 말을 쓴다. 글쓰기와 독서에 집중할 수 있도록 늘 챙겨주시는 통진도서관에 감사의 뜻을 전한다.

경驚.기記.문文.학學 36

각자의 방식

문부일 소설집

초판 1쇄 발행 2020년 9월 15일

지은이	문부일
펴낸이	김태형
펴낸곳	청색종이
등록	2015년 4월 23일 제374-2015-000043호
주소	서울시 영등포구 문래동2가 14-15
전화	010-4327-3810
팩스	02-6280-5813
이메일	theotherk@gmail.com

ⓒ 문부일, 2020

ISBN 979-11-89176-36-5 03810

값 6,800원